DES BONAPARTE

...onaparte
...tizia Ramolino, née à Ajaccio (1750-1836)

...-Anna	**Louis**	**Maria Paoletta**	**Maria Anunziata**	**Jérôme**
Élisa	(1778-1846)	*dite Pauline*	*dite Caroline*	(1784-1860)
1820)	roi de Hollande	(1780-1825)	(1782-1839)	roi de Westphalie
e Lucques	de 1806 à 1810	princesse Borghèse,	reine de Naples	de 1807 à 1813
...mbino,	épouse en 1802	duchesse de Guastalla	épouse en 1800	épouse en 1803
...uchesse	Hortense	épouse en 1797	Joachim Murat	Élisabeth Patterson
...scane	de Beauharnais	le général Leclerc	(1767-1815)	(1785-1879)
n 1797	(1783-1837)	(1772-1802)	roi de Naples	épouse en 1807
...ciocchi		épouse en 1803	et de Sicile	Catherine
1841)		le prince	de 1808 à 1815	de Wurtemberg
...ants		Camille Borghèse		(1783-1835)
		(1775-1832)		
		sans postérité		

...apoléon	**Charles Louis**	*du premier mariage*		*du deuxième mariage*	
Louis	**Napoléon**	**Jérôme**	**Jérôme**	**Mathilde**	**Napoléon**
...1804-1831)	(1808-1873)	**Bonaparte-**	**Napoléon**	(1820-1904)	**Joseph Charles**
épouse	président de	**Patterson**	**Charles**	épouse	**Paul**
sa cousine	la IIᵉ République	(1805-1870)	*dit le Prince*	le prince russe	*dit le Prince*
Charlotte	de 1848 à 1852	épouse en 1829	*de Montfort*	Anatole	*Jérôme*
...ans postérité	**Napoléon III**	Susan Mary	(1814-1847)	Demidov prince	(1822-1891)
	de 1852 à 1870	Williams	sans postérité	de San Donato	épouse en 1859
	épouse en 1853	(1813-1870)		(1813-1870)	Clotilde de Savoie
	Eugénie Maria	(branche		sans postérité	(1843-1911)
	de Montijo de Guzman,	Bonaparte-			fille de Victor-
	comtesse de Teba	Patterson			Emmanuel II
	(1826-1920)	éteinte en 1945)			

Eugène Louis	**Victor**	**Louis**	**Lætitia**
Napoléon	**Napoléon**	(1864-1932)	(1866-1926)
(1856-1879)	(1862-1926)		épouse en 1888
chef de la maison	chef de la maison		le frère de sa mère,
impériale	impériale		Amédée de Savoie,
sans postérité	épouse en 1910		duc d'Aoste
	Clémentine,		(1845-1890)
	princesse de Belgique		
	(1872-1955)		

Clotilde	**Louis Napoléon**
(1912-1996)	(1914-1997)
épouse en 1938	chef de la maison
Serge de Witt	impériale
(1891-1990)	épouse en 1949
	Alix de Foresta
	(née en 1926)

Charles	**Catherine**	**Laure**	**Jérôme**
né en 1950	née en 1950	née en 1952	né en 1957
épouse en 1978			
Béatrice de			
Bourbon-Siciles			

Caroline	**Jean-Christophe**
née en 1980	né en 1986

l' **ABC**daire
de
Napoléon
et l'Empire

Jean Tulard
Gérard Gengembre
Adrien Goetz
Jacques Jourquin
Thierry Lentz

LE GRAND LIVRE DU MOIS

LES QUESTIONS QUE L'ON SE POSE

De sa légende, forgée par lui-même et relayée par les écrivains puis le cinéma, il importe de détacher la réelle physionomie de Napoléon, au physique comme au moral. Fils de 1789 ? Despote éclairé ? Aigle ou ogre ?

On prête encore à Napoléon un grand dessein. C'est flatter ce politique avisé qui gouverne comme il mène campagne. En quoi cependant ce pragmatisme a-t-il révolutionné la France et préparé l'Europe d'aujourd'hui ?

Les années 1799-1814 coïncident avec un moment exceptionnel des arts en France et dans l'Europe annexée. C'est le temps de David, de Goya, de Chateaubriand… Napoléon ne voit-il dans le talent que l'instrument de sa gloire ?

COMMENT L'ABC*daire* Y RÉPOND...

Le guide de l'abécédaire p. 6

Il explique comment comprendre Napoléon en regroupant les notices de l'abécédaire selon trois perspectives. Un code de couleurs indique le genre de chaque notice :

■ L'homme :   ■ Le chef militaire :   ■ Le contexte :
sa carrière,   les grandes batailles,   l'administration,
son entourage.   les corps d'armée.   les arts.

Au fil de ces notices, et grâce aux renvois signalés par les astérisques, le lecteur voyage comme il lui plaît dans l'abécédaire.

L'abécédaire p. 25

Par ordre alphabétique, on trouvera dans ces notices tout ce qu'il faut savoir sur Napoléon et l'Empire. L'information est complétée par les éclairages suivants :
- des commentaires détaillés sur les principaux lieux napoléoniens ;
- des encadrés qui analysent les aspects majeurs de l'histoire politique et culturelle.

Napoléon raconté p. 11

En tête de l'ouvrage, une synthèse reprend l'articulation du guide de l'abécédaire en développant chacun de ses thèmes.

I. DE « BUONAPARTE » À NAPOLÉON

A. Le charisme du « petit caporal »

Napoléon aura toujours fasciné, à commencer par ses contemporains. Dès Toulon, puis en Italie, Bonaparte s'attache les hommes qui croisent sa rapide carrière. La volonté, l'intelligence l'emportent à l'évidence sur les atouts physiques. À ce petit homme il faut la grandeur et le dévouement de son entourage.

- *Cambacérès*
- *Demi-soldes*
- *Destinée*
- *Fouché*
- *Garde impériale*
- *Grognards*
- *Invalides*
- *Italie*
- *Mémoires d'Empire*
- *Ministres*
- *Roustam (Raza)*
- *Talleyrand*
- *Toulon*
- *Valet*

B. Un homme pressé

Napoléon vit comme il écrit, vite. Exigeant, coléreux, il réserve sa tendresse aux siens et aux femmes. Menant de concert les affaires de l'État et les campagnes militaires, c'est un travailleur infatigable. L'oisiveté de Sainte-Hélène lui sera fatale.

- *Aix (Île d')*
- *Artillerie*
- *Austerlitz*
- *Beauharnais (Joséphine de)*
- *Cabinet*
- *Cavalerie*
- *Elbe (Île d')*
- *Eylau*
- *Friedland*
- *Malmaison*
- *Marie-Louise*
- *Sainte-Hélène*
- *Stratégie*
- *Trafalgar*
- *Wagram*
- *Walewska (Marie)*
- *Waterloo*

C. Une famille envahissante

S'il symbolise le triomphe romantique du moi, Napoléon est inséparable de sa famille, de son clan, avec lequel les liens sont parfois orageux : une mère, très présente, cinq garçons, trois filles. Les titres, les trônes pleuvent. Mais aucun Bonaparte ne fera souche de roi en Europe.

- *Ajaccio*
- *Bonaparte*
- *Bonapartisme*
- *Brumaire*
- *Corse*
- *Espagne*
- *Europe*
- *Fesch (Joseph)*
- *Légion d'honneur*
- *Maréchaux*
- *Murat*
- *Ney*
- *Noblesse*
- *Versailles*

II. LES IDÉES POLITIQUES

A. Un pragmatique

Au départ, il y a la pensée libérale des philosophes qu'il lit, l'admiration pour Paoli et son rêve d'une Corse indépendante. Mais la Révolution, puis l'accès au pouvoir ont rendu Napoléon moins soucieux des principes que des enjeux, en évolution permanente. Machiavel a remplacé Rousseau.

- ◼ *Brumaire*
- ◼ *Colonies*
- ◼ *Conseil d'État*
- ◻ *École militaire*
- ◼ *Idéologues*
- ◼ *Industrie*
- ◼ *Légitimités napoléoniennes*
- ◼ *Marie-Louise*
- ◼ *Révolution*
- ◼ *Roi de Rome*
- ◼ *Sacre*
- ◼ *Université impériale*

B. Un Européen convaincu

Réunissant l'Europe sous sa férule, Napoléon fait de la France un territoire grand de 130 départements. Le Code est facteur d'unité, ainsi que le Blocus continental qui entrave le marché anglais. Même la politique familiale de l'Empereur va dans le sens de l'unification européenne.

- ◼ *Administration*
- ◼ *Angleterre*
- ◼ *Bonaparte*
- ◼ *Codification*
- ◼ *Espagne*
- ◼ *Europe*
- ◼ *France*
- ◻ *Italie*
- ◻ *Murat*
- ◼ *Rome*
- ◻ *Russie*

C. Le génie de la propagande

Napoléon est le premier chef de l'État à avoir compris, après Louis XIV, l'importance de la propagande, par l'image et le texte. Dès la première campagne d'Italie, il ébauche sa légende. Devenu Premier consul, puis Empereur, Bonaparte asservit la presse et met la religion à son service.

- ◼ *Concordat*
- ◼ *Consulat*
- ◼ *Enghien (Duc d')*
- ◻ *Grande Armée*
- ◼ *Légende*
- ◼ *Peinture*
- ◼ *Propagande*
- ◼ *Redingote*
- ◼ *Symbolique*
- ◼ *Rome*

III. LE STYLE EMPIRE

A. Le temps de René

« J'ai pour moi la petite littérature et contre moi la grande », aurait déclaré Napoléon. Le rendez-vous manqué avec Chateaubriand, qui alimentera néanmoins la légende plus tard, en témoigne. Reste que les écrivains ralliés ne manquent pas tous de talent, dès lors qu'ils s'expriment hors des commandes officielles.

- *Bibliothèque*
- *Censure*
- *Chateaubriand*
- *Chénier*
- *Institut*
- *Poésie*
- *Staël (Mme de)*
- *Théâtre*

B. Une Antiquité rajeunie

On ne parle pas par hasard de style consulaire ou de style Empire dans le mobilier ou l'architecture. Les caractériser par le retour à l'Antiquité gréco-romaine ne suffit pas puisque, autour de 1800, néoclassicisme et romantisme cessent de s'opposer.

- *Arts*
- *David*
- *Denon*
- *Égypte*
- *Fontaine et Percier*
- *Paris*
- *Peinture*
- *Style Empire*

C. Vers le romantisme

À travers les batailles de Gros ou de Girodet, la peinture s'éloigne de David et annonce Géricault et Delacroix. Mais c'est surtout le destin de Napoléon, gloire et infortune, lumière et ombres, qui devient mythe pour les romantiques galvanisés par le *Mémorial de Sainte-Hélène*.

- *Cent-Jours*
- *Destinée*
- *Fontainebleau*
- *Opéra*
- *Peinture*
- *Romantisme*
- *Uniforme*
- *Waterloo*

NAPOLÉON RACONTÉ

On sait tout ou presque tout sur Napoléon. Certes, historiens et journalistes à court d'inspiration se plaisent à entretenir quelques énigmes : Napoléon était-il bien le fils de Charles Bonaparte ? A-t-il été empoisonné à Sainte-Hélène ? Est-ce bien l'empereur qui est aux Invalides* et non son maître d'hôtel Cipriani ? Mais il s'agit de faux mystères ou de débats artificiellement entretenus. Archives diplomatiques et bulletins de police, contrôles de troupes et documents de l'administration, Mémoires* et lettres intimes nous permettent de ne rien ignorer de l'homme et de son temps.

La Vie de Napoléon en huit chapeaux par Charles von Steuben, 1826. H/t 26 × 29. Musée national des châteaux de Malmaison et Bois-Préau.

I. De « Buonaparte » à Napoléon
A. Le charisme du « petit caporal »

Si l'on ne devait retenir qu'un trait de Napoléon, ce serait son pouvoir de fascination. Dès le siège de Toulon*, il s'attache un Junot, un Marmont, un Duroc. En Italie*, Muiron donne sa vie pour lui. Desaix, qui le rejoint à Passeriano, est aussitôt subjugué. Talleyrand* confesse dans ses Mémoires qu'au premier abord « Bonaparte lui parut avoir une figure charmante ; vingt batailles gagnées vont si bien à la jeunesse, à un beau regard, à de la pâleur et à une sorte d'épuisement ». Par la suite, Napoléon impressionne diplomates et soldats, amis ou adversaires. Hegel, qui l'aperçoit en 1806, déclare avoir vu passer « l'âme du monde à cheval ». Même à Sainte*-Hélène, vaincu, déchu, malade, il en impose à Hudson Lowe et les rares voyageurs qui s'arrêtent dans l'île sont tous éblouis par le charme du prisonnier. Pourtant, l'homme paraît petit, d'abord maigre, les cheveux gras pendant disgracieusement sur ses épaules quand il n'est encore que le général Bonaparte, puis, bedonnant, le cheveu rare et court, le geste brusque, lorsqu'il devient Napoléon. Il n'a ni la prestance d'un Murat ni le raffinement d'un Talleyrand. Mais il exerce une sorte de magnétisme sur ceux qui l'approchent.

Napoléon Ier à la Malmaison par Théodore Gérard, 1804. H/t 218 × 140. Musée national des châteaux de Malmaison et Bois-Préau.

B. Un homme pressé

C'est un homme pressé, impatient, qui fonde sa stratégie* sur la vitesse. Il suffit de regarder son écriture : on a l'impression qu'il ne finit pas ses mots ni ses phrases. Quand il dicte, il faut tout le métier

Portrait de Madame Mère par François Gérard, 1803. H/t 173 × 177. Musée national des châteaux de Malmaison et Bois-Préau.

de ses secrétaires, Fain ou Méneval, pour reconstituer sa phrase et sa pensée à partir de quelques mots pris à la volée. Ses colères sont terribles et foudroient l'infortunée victime : devant Coblenzl, le diplomate autrichien de Campoformio, c'est un vase brisé, pour Talleyrand un mot ordurier. Le ton des lettres que l'Empereur adresse à son beau-frère Murat*, alors roi de Naples, excuse en partie la défection de ce dernier en 1814. Mais cet esprit coléreux sait aussi se faire tendre et même sentimental. Qui ne connaît les lettres qu'il adresse à Joséphine : « Je n'ai pas passé un jour sans te serrer entre mes bras… Au milieu des affaires, à la tête des troupes, en parcourant les camps, mon adorable Joséphine est seule dans mon cœur, occupe

mon esprit, absorbe ma pensée. » Et si la passion s'éteint, la tendresse subsiste. Même après le divorce, le ton reste affectueux : « Tu ne peux pas mettre en doute ma constante amitié et tu connaîtrais bien mal les sentiments que je te porte, si tu supposais que je puisse être heureux si tu ne l'es pas, content si tu ne te tranquillises. » Absolvons Napoléon de mots à lui prêtés par la malveillance, comme ce « une nuit de Paris réparera tout cela » devant les morts du champ de bataille d'Eylau*, phrase apocryphe et d'ailleurs attribuée sur le mode gaillard à Henri IV. Napoléon n'a jamais été insensible face aux pertes en hommes ; tous les témoignages soulignent son accablement après la boucherie d'Eylau. Ne fait-il pas insérer dans le bulletin de la Grande* Armée du 2 mars 1807 une description du champ de bataille et des milliers de morts qui le jonchent, pour conclure : « Ce spectacle est fait pour inspirer aux princes l'amour de la paix et l'horreur de la guerre. »

Napoléon sut toujours galvaniser ses troupes. Même en laissant sa part à la légende, la Grande Armée fut très attachée à son chef jusque dans la défaite. La trahison fut surtout le fait des maréchaux* et des généraux, pourtant comblés d'honneurs et d'argent par Napoléon.

Ce qui étonne le plus chez Napoléon, c'est sa puissance de travail. D'après le *Journal de Paris* du 19 brumaire an IX, sous le Consulat* : « La force des organes du Premier consul lui permet dix-huit heures de travail par jour, elle lui permet de fixer son attention pendant ces dix-huit heures sur une même affaire ou de l'attacher successivement à vingt, sans que la difficulté ou la fatigue d'aucune embarrasse l'examen d'une autre. » Et en effet, à la veille de la bataille de Leipzig, qui va décider du sort de l'Allemagne, en 1813, on le voit s'occuper, entre deux plans d'opération, d'une élection à l'Institut* et d'une affaire de pension à attribuer à la veuve d'un commissaire de police. Pourtant, Napoléon va peu à peu user sa santé : sur la fin de l'Empire, il est atteint de somnolences, se fait plus irritable. Mais c'est l'oisiveté de Sainte-Hélène qui lui sera fatale.

C. Une famille envahissante

Si Napoléon symbolise le triomphe au XIXe siècle de l'individualisme, il est inséparable de sa famille, de son clan, pourrait-on dire. Autour de la mère – le père, parfait arriviste ayant disparu très vite – se regroupent cinq garçons et trois filles. Joseph est l'aîné et Napoléon le ménagera toujours, respectueux des traditions familiales. Lucien est, après Napoléon, le plus capable : il sauve son frère de la mise hors la loi le 19 brumaire*, devient ministre* de l'Intérieur mais se brouille vite avec lui. Louis (que Napoléon avait élevé) et Jérôme, plus jeune, ont moins compté. Les femmes ont un rôle secondaire : Élisa symbolise la sagesse, Caroline (épouse de Murat) l'ambition, et Pauline la beauté. Le clan des Bonaparte* se heurte, après le mariage de Napoléon avec Joséphine, au clan des Beauharnais*. Longtemps Eugène tint le rôle de fils de Napoléon (il est fait vice-roi d'Italie) ; Hortense est choyée. Napoléon lui fait épouser son frère Louis pour concilier les deux camps et songe un moment, quand il croit ne pouvoir avoir d'enfants, faire du fils de Louis et d'Hortense son héritier.

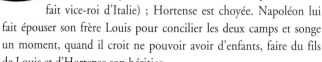

Portrait de Lucien Bonaparte par F.-S. Fabre (1766-1837). Rome, Museo Napoleonico.

Par la suite, frères et sœurs servent la stratégie napoléonienne de domination de l'Europe*. L'Empereur en fait des rois ou des princes. Mais ces nouveaux souverains établis en Hollande et en Westphalie, ne doivent pas oublier qu'ils ne sont en réalité que de simples préfets. Pris entre la volonté de l'Empereur et les intérêts de leurs sujets, ils seront vite dans une situation difficile : Louis préfère abdiquer, Murat rejoint provisoirement les coalisés en 1814. À l'inverse de Bernadotte, aucun Bonaparte ne fera souche de roi en Europe.

Après la naissance de son fils en 1811, Napoléon tend à revenir sur sa conception de royaumes vassaux. Il souhaite désormais tout réunir sous l'autorité de son héritier et fonder une nouvelle dynastie, la IVe après les Mérovingiens, les Carolingiens et les Capétiens. L'effondrement de 1814 ruine cette illusion.

II. Les idées politiques
A. Un pragmatique

Napoléon n'a jamais souhaité s'enfermer dans un système idéologique et si le *Mémorial de Sainte-Hélène* semble esquisser une logique dans la trajectoire politique de Napoléon, c'est pour lui permettre de se poser en héritier de la Révolution* et en défenseur des principes de 89. Napoléon l'a dit à propos de la stratégie : « Tout y est bon sens, rien n'y est idéologique ». Cela est aussi vrai dans le domaine politique. À l'origine, il est un fervent admirateur de Rousseau. Dans le mémoire qu'il

adresse à l'Académie de Lyon sur le thème : « Quelles vérités et quels principes importe-t-il le plus d'inculquer aux hommes pour leur bonheur ? », il glisse une envolée : « Ô Rousseau, pourquoi faut-il que tu n'aies vécu que soixante ans ! Pour l'intérêt de la vertu, tu eusses dû être immortel ! » Autre référence : Raynal, abbé philosophe aux idées très avancées, notamment dans le domaine de la colonisation*. Parvenu au pouvoir, Napoléon répudiera Rousseau et rétablira l'esclavage.

Un temps, il s'est enthousiasmé pour Paoli, l'homme qui voulait rendre à la Corse* son indépendance. Il admire alors la Constitution de 1757 qui mêle les traditions corses aux principes des philosophes, dont la fameuse séparation des pouvoirs chère à Montesquieu.

Portrait de Pauline Borghèse par F. G. Kinson (1771-1839). Rome, Museo Napoleonico.

Portrait de Joseph Bonaparte par Robert Lefèvre (1755-1830). Rome, Museo Napoleonico.

Quand éclate la Révolution, Bonaparte croit à la possibilité de jouer un grand rôle en Corse, mais son rêve se brise sur Paoli avec lequel il se brouille. Il se transforme alors en jacobin ardent, écrivant *Le Souper de Beaucaire*, réquisitoire contre le fédéralisme girondin et la volonté de sécession des provinces face au gouvernement révolutionnaire. Le voilà même robespierriste. Puis, par un nouveau retournement, il sauve les vainqueurs de Robespierre, les Thermidoriens, le 13 vendémiaire, du péril royaliste. Ce

ne sera que pour mieux les asservir après le coup d'État de Brumaire. Le lecteur de Rousseau se transforme, une fois au pouvoir, en lecteur de Machiavel. À Eugène, le fils de Joséphine, devenu vice-roi d'Italie, il donne des conseils politiques d'un froid réalisme : « Montrez pour la nation que vous gouvernez une estime qu'il convient de manifester d'autant plus que vous découvrirez des motifs de l'estimer moins. Il viendra un temps où vous reconnaîtrez qu'il y a bien peu de différence entre un peuple et un autre. » Ou encore : « On ne

*Allégorie
sur l'état
de la France
avant le retour
d'Égypte*
par Jean-Pierre
Franque, 1810.
H/t 261 × 326.
Paris, musée
du Louvre.

mesure pas la force d'un prince qui se tait ; quand il parle, il faut
qu'il ait la conscience d'une grande supériorité. » Dans sa conception
du gouvernement, Napoléon passe du « despotisme éclairé » au
« prince légitime », étant devenu par son mariage avec Marie*-Louise
le neveu par alliance de Louis XVI.
À Sainte-Hélène, il retouche le portrait et se pose en héritier de la
Révolution. Une page célèbre du *Mémorial* lui fait proclamer
« l'ascendant irrésistible des idées libérales ». Écoutons-le : « Rien ne

saurait désormais détruire ou effacer les grands principes de notre Révolution… Voilà le trépied d'où jaillira la lumière du monde. Ils le régiront ; ils seront la foi, la religion, la morale de tous les peuples, et cette ère mémorable se rattachera, quoi qu'on ait voulu dire, à ma personne, parce qu'après tout j'ai fait briller le flambeau, consacré les principes, et aujourd'hui la persécution achève de m'en rendre le Messie ! » Napoléon comprend que la montée des idées libérales va balayer les derniers souverains absolutistes. Face à la Sainte-Alliance qui le retient prisonnier sur le rocher de Sainte-Hélène, il se présente en champion de ces idées qu'il avait soigneusement étouffées pendant l'Empire. Moyen le plus sûr de s'assurer, à défaut d'une libération qui semble s'éloigner avec le temps, du moins un jugement favorable de la postérité.

B. Un Européen convaincu

C'est encore dans le *Mémorial* que Napoléon, portant un regard sur son œuvre diplomatique, se présente comme l'artisan de l'unification de l'Europe. S'il avait vaincu la Russie*, « l'Europe n'eût bientôt fait qu'un seul peuple, et chacun en voyageant partout, se fût trouvé toujours dans la patrie commune ».

Et il est vrai que le Grand Empire peut apparaître comme un précurseur d'une Europe unifiée. À son apogée, l'Empire napoléonien englobe une grande partie du continent. La France proprement dite est forte de 130 départements. Bruxelles, Amsterdam, Hambourg, Mayence, Genève, Turin, Rome* et Florence sont des villes françaises. S'y ajouteront la Catalogne et les provinces illyriennes. Napoléon est roi d'Italie (Milan et Venise), médiateur de la Confédération

La Distribution des aigles par Jacques Louis David, 1810. H/t 610 × 970. Musée national du château de Versailles.

helvétique, protecteur de la Confédération du Rhin qui comprend tous les États allemands et le duché de Varsovie. Il a pour « vassaux » le roi d'Espagne* (son frère Joseph) et le roi de Naples (Murat), pour alliés le Danemark et la Suède (qui a pour prince héritier un maréchal de Napoléon, Bernadotte), sans parler de la Russie depuis les accords de Tilsit. Le beau-père de Napoléon est l'empereur d'Autriche dont l'empire s'étend à la Hongrie, à la Bohême et à une partie de la Roumanie. Bref, à l'exception des îles (l'Angleterre*, la Sardaigne et la Sicile), toute l'Europe dépend d'un éternuement de Napoléon.

Le Blocus continental décidé par le décret de Berlin du 21 novembre 1806 qui ferme le continent aux marchandises anglaises, constitue une étape importante dans la voie d'une unification économique de l'Europe. Pas encore de monnaie commune ou d'instances supranationales, mais un réseau de douaniers le long des côtes pour interdire l'entrée des produits anglais et lutter contre les contrebandiers. Partout Napoléon s'efforce, à défaut d'une langue unique, d'imposer une législation commune fondée sur le Code* civil français. Benjamin Constant le reconnaît en 1814 : « La division même de l'Europe en plusieurs États est plutôt apparente que réelle. Une masse d'hommes existe maintenant sous différents noms et sous divers modes d'organisation sociale, mais homogène dans sa nature. »

C. Le génie de la propagande

Napoléon est le premier chef d'État à avoir compris, après Louis XIV, l'importance de la propagande. Dès la première campagne d'Italie, il crée sa légende* à l'aide de journaux à sa dévotion : *Le Courrier de l'armée d'Italie*, *La France vue de l'armée d'Italie*. Qu'y lit-on ? « Bonaparte vole comme l'éclair et frappe comme la foudre. Il est partout et il voit tout… Il sait qu'il est des hommes dont le pouvoir n'a d'autres bornes que leur volonté quand la vertu des plus sublimes vertus seconde un vaste génie. »

Devenu Premier consul, Bonaparte asservit la presse, impose la version officielle de ses batailles à travers les bulletins de la Grande Armée et met la religion à son service. Enseigné dans toutes les paroisses, le catéchisme impérial apprend l'obéissance à Napoléon « parce que Dieu qui crée les empires et les distribue selon sa volonté, en comblant notre Empereur de dons, soit dans la paix, soit dans la guerre, l'a établi notre souverain, l'a rendu ministre de sa puissance et de son image sur la terre ». On redécouvre un saint Napoléon qui a désormais sa congrégation à Nancy. Tout concourt à exalter l'Empereur. Les arts* eux-mêmes sont soumis au culte impérial.

III. Le style Empire
A. Le temps de René

« J'ai pour moi la petite littérature et contre moi la grande », aurait déclaré Napoléon. Et il est vrai que l'Empire a peu compté de grands écrivains. Les plus importants ont été persécutés par le régime : Mme de Staël* exilée, Sade interné à Charenton, Chateaubriand* empêché de prononcer son discours de réception à l'Institut.

Les écrivains ralliés relèvent du deuxième rayon sans être méprisables : Raynouard rencontre le succès avec sa tragédie *Les Templiers* en 1805 ; on doit à Berchoux un charmant poème* sur la « gastronomie » : « Écartez ce fâcheux qui vers vous s'achemine ;

Rien ne doit déranger l'honnête homme qui dîne ». Millevoye ne mérite pas l'oubli dans lequel il est tombé, et pas davantage Chênedollé. Les comédies de Picard furent appréciées par Stendhal et celles de Collin d'Harleville étaient goûtées par la cour impériale. Mais la censure* a empêché tout épanouissement et les commandes officielles toute originalité.

Paris, arc du Carrousel par Charles Percier et Pierre François Fontaine, 1806-1808.

B. Une Antiquité rajeunie

Là encore, la volonté du maître prédomine à travers David* dans le domaine de la peinture* ou Percier et Fontaine* dans celui de l'architecture. Imitation de l'antique dans les monuments, de la colonne Vendôme à l'arc du Carrousel, triomphe du néoclassicisme

Napoléon Iᵉʳ à Fontainebleau en 1814 (détail) par Paul Delaroche, 1840. Paris, musée de l'Armée.

sur les toiles ou thèmes de propagande* guerrière (*Les Pestiférés de Jaffa* constituent une réplique, sous le pinceau de Gros, aux pamphlets anglais accusant Bonaparte d'avoir fait empoisonner ses soldats atteints de la peste). Dans le mobilier règne Jacob-Desmalter : l'acajou et le bronze sont prédominants mais l'influence de la campagne d'Égypte* est ici sensible à travers sphinges et griffons. Le mobilier empire est largement exporté en Europe, imposant le luxe à la française.

Bonaparte visitant les pestiférés de Jaffa par Antoine Jean Gros, 1804. H/t 523 × 715. Paris, musée du Louvre.

C. Vers le romantisme

La génération suivante sera fascinée par Napoléon. Les écrivains romantiques*, de Hugo à Balzac, de Dumas à Vigny, n'ont pas caché leur dette envers Napoléon qui est leur principale source d'inspiration. Géricault assure la transition en peinture. En musique, Jean-François Le Sueur, le compositeur des *Bardes*, l'opéra* préféré de Napoléon, est le maître de Berlioz.

Le XIXᵉ siècle fut en définitive le siècle de Napoléon. Il n'est pas jusqu'à l'idée de revanche sur la Prusse après la perte de l'Alsace-Lorraine en 1870, qui ne soit fille de Napoléon. Comme le rappelle Barrès, Napoléon n'avait-il pas, au début du siècle, écrasé les Prussiens à Iéna, donnant l'exemple aux « poilus » de 1914, héritiers des « grognards* » de la Grande Armée ?

Jean TULARD

Administration

Alors que la Révolution* a prôné l'élection des fonctionnaires, Napoléon crée un corps d'agents de l'État non soumis aux aléas du suffrage universel, ce qui leur retire toute légitimité propre et professionnalise les fonctions. L'organisation de chaque administration est pyramidale : au niveau central, par exemple, le ministre* commande aux chefs de bureau, aux chefs de division et aux employés (commis, expéditionnaires). Tranquillisé sur son évolution de carrière grâce à un système d'avancement rationalisé, l'agent de l'État peut se consacrer à son travail et respecter la discipline imposée par ses supérieurs hiérarchiques. Enfin, l'uniformisation des organisations entre les différents ministères permet de créer un état d'esprit commun à tous les employés de l'État qui deviennent interchangeables.

Les administrations centrales et déconcentrées sont plus étoffées que celles de l'Ancien Régime, sans atteindre leur développement actuel. Ainsi, l'administration centrale du ministère de l'Intérieur compte à peine 200 employés, tandis que celle des Cultes emploie une soixantaine de collaborateurs pour administrer 30 000 desservants. Au ministère de la Police, quelques dizaines d'employés bénéficient de l'aide d'une armée de « mouchards » rémunérés sur des fonds secrets. Les conditions de travail sont souvent déplorables : les employés, entassés dans de grandes pièces, doivent

Costume de grand juge. Paris, album Maciet, bibliothèque des Arts décoratifs.

Napoléon Iᵉʳ, roi d'Italie par Andrea Appiani, 1805. H/t 98,5 × 74,5. Île d'Aix, Musée napoléonien.

économiser l'encre, les plumes et le papier (alors que la manie du rapport commence à se développer). Quant aux rémunérations, elles vont de 12 000 francs annuels pour un chef de division (8 000 francs pour un préfet) à 1 200 francs pour un expéditionnaire. TL

Aix (Île d')

Du 12 au 15 juillet 1815, Napoléon passe ses derniers jours sur le sol de France à l'île d'Aix, près de Rochefort. Une dernière fois, il demande asile et protection à son vainqueur, le peuple britannique. Appel qui n'est pas entendu : à la surprise des compagnons de l'Empereur, c'est le départ pour Sainte*-Hélène, avec un statut qui assimile « le général » à un prisonnier.

En 1928, le baron Gourgaud, descendant du général Gaspard Gourgaud qui lui aussi s'était embarqué pour Sainte-Hélène, ouvre un musée dans la maison du commandant de la place, où Napoléon avait habité. Musée national depuis 1933, cette demeure de style* Empire rassemble la collection Gourgaud : de nombreux portraits (dont une version du *Napoléon roi d'Italie* [1805], chef-d'œuvre d'Appiani, ou le superbe buste du général Bonaparte par Corbet) et souvenirs complètent le décor de la chambre de l'Empereur. Un musée annexe abrite quelques curiosités exotiques, dont le dromadaire naturalisé qu'aurait monté Bonaparte en Égypte*. De quoi rendre jaloux les conservateurs des Invalides* ! AG

■ AJACCIO

En 1799, à son retour d'Égypte*, Bonaparte fait halte à Ajaccio : « Rien ne fut si touchant que l'accueil qu'on lui fit ; les canons tiraient de toute part ; toute la population était dans des barques », rapporte Vivant Denon*. Pour quelques jours, le général loge dans la vieille maison familiale où il est né le 15 août 1769 – sur un tapis orné de scènes antiques, alors que sa mère revenait précipitamment de l'office, dit la légende*. Ses parents y habitent depuis leur mariage en 1764 ; Lucien, Louis, Jérôme, Pauline et Caroline y ont vu le jour ; en 1797, Letizia a fait agrandir et réinstaller un peu la demeure. Bonaparte, ignorant qu'il voit pour la dernière fois cette haute maison de son enfance, s'installe sans doute dans la chambre dite aujourd'hui « chambre de l'alcôve ». Le 6 octobre 1799, par la « chambre à la trappe », il quitte en secret ces lieux pour retrouver au plus vite le Paris exténué du Directoire.

La maison des Bonaparte* connaît ensuite quelques vicissitudes : André Ramolino, cousin du côté maternel, l'habite sous l'Empire. Madame Mère en recouvre la propriété sinon l'usage en 1832, puis la maison tombe dans l'escarcelle de Joseph, un an avant sa mort, en 1843. Neuf ans plus tard, sa fille, la princesse Zénaïde, dont David* a laissé un portrait où elle pose avec sa sœur Charlotte (1821, Malibu, J. Paul Getty Museum), en fait symboliquement hommage au chef de famille, Louis Napoléon, qui devient alors Napoléon III. L'impératrice Eugénie en fait une sorte de temple à la famille, inauguré en 1869 pour le centenaire de la naissance de

l'oncle, fondateur de la dynastie des Napoléonides. Ce jour-là, le prince impérial est présent. Un an plus tard, c'est la défaite de Sedan. Le prince Victor Napoléon, petit-fils du roi Jérôme, devient propriétaire de la maison. Offerte à l'État en 1923, elle ne deviendra musée national qu'en 1967.

Aujourd'hui, la visite témoigne autant de la piété dynastique d'Eugénie que

Maison natale de Napoléon à Ajaccio.

d'un hypothétique état de 1768. Abel Gance y a tourné des scènes de son *Napoléon*, cachant par du lierre la plaque de la façade. Au premier étage, ce sont les appartements de la famille : salon, chambre de Madame Letizia, chambre natale de l'Empereur, salle à manger... Au deuxième, des salles sont consacrées à l'histoire de la Corse* au XVIIIᵉ siècle, puis aux portraits de famille. On peut y voir l'effigie d'un grand oublié : Charles, père de Napoléon. Une salle regroupe les souvenirs du second Empire et des visites de Napoléon III et d'Eugénie. AG

Le Passé,
le présent, l'avenir
ou Les Trois États
successifs
de l'Angleterre
jadis opulente
et prospère,
maintenant ruinée
par ses armements,
demain réduite
par le blocus
à la misère
et au dénuement.
Caricatures, début
du XIXe siècle.

■ Angleterre

L'Angleterre est l'ennemi le plus décidé de Napoléon en qui elle voit à la fois l'héritier de la Révolution* et l'incarnation de sa lutte séculaire contre la France pour la domination de l'Europe*. S'appuyant sur sa puissance financière, elle refuse tout compromis, évite l'affrontement direct sur les champs de bataille et finance les coalitions anti-françaises, tout en profitant de sa supériorité navale. Napoléon réplique par la guerre économique totale avec le Blocus continental (novembre 1806). Dès lors, pour l'emporter, la France doit dominer l'Europe puisqu'elle interdit l'entrée des marchandises anglaises sur le continent.

À partir de la guerre d'Espagne*, les troupes françaises et anglaises se font plus souvent face, tant sur la péninsule Ibérique que sur d'autres théâtres. Jamais les « uniformes rouges » ne peuvent mettre en péril la Grande* Armée. La bataille de Waterloo* n'est gagnée par les Anglais que grâce à l'irruption sur le champ de bataille des Prussiens de Blücher. Mais par son habileté à fomenter les coalitions, l'Angleterre reste le plus impitoyable adversaire de Napoléon, jusque dans son exil de Sainte*-Hélène, lui infligeant des tracasseries qui, associées au climat détestable de l'île, favorisent sa maladie et, plus tard, son ultime triomphe : le succès de la légende*. TL

■ Artillerie

Napoléon a été artilleur (voir Toulon). Il s'en souviendra toujours et utilisera davantage son arme à mesure que les batailles deviendront plus massives et qu'il manœuvrera moins avec une infanterie qui s'use. Les effectifs font alors plus que doubler (100 000 hommes en 1814) et on compte plus de

trois pièces pour 1 000 hommes en 1812 contre moins de deux en 1805. L'excellente organisation des commandements d'artillerie au niveau des corps d'armée (l'artillerie de la Garde* formant la réserve générale) permet la concentration de feux des « grandes batteries » et l'emploi d'une artillerie à cheval capable de précéder l'infanterie ou de suivre sans peine la cavalerie*. Le matériel – système Vallière amélioré par Gribeauval sous Louis XV – et le personnel – peu affecté par la Révolution* parce que arme savante où servaient bourgeois et petits nobles qui n'avaient pas émigré – fournissent un corps de qualité. Si aucun progrès technique impor- tant n'est apparu, malgré une tentative avortée en 1803, l'enseignement déjà efficace est perfectionné par un recrute- ment issu des écoles* militaires (Polytechnique et Saint-Cyr) et formé à l'école d'application de Metz. L'efficacité du « brutal » (le canon), remarquée particu- lièrement à Friedland* et à Wagram*, incite les armées ennemies à adopter les innova- tions de Gribeauval et les méthodes napoléoniennes. Les artilleries prussienne et russe se font redoutables, et l'anglaise devient la plus moderne avec les fusées à la Congreve et les obus à balles. Dans ce domaine aussi, le temps a joué contre Napo- léon. JJ

Artillerie à cheval de la Garde impériale changeant de position par Théodore Géricault, 1819. Lithographie, 30 × 38,4. Rouen, musée des Beaux-Arts.

Percier
et Fontaine,
*La Salle de Vénus
au Louvre*.
Gravure extraite
du *Recueil
de décorations
intérieures*
de 1812,
aquarellée par
Schlick vers 1825.
Paris, musée des
Arts décoratifs.

■ ARTS
Propagande et mécénat

L'Empereur a mené une politique artistique dont on sous-estime souvent l'ambition. La propagande* anglaise le montrait déjà comme un souverain barbare, incapable d'apprécier les antiques qu'il faisait installer à Paris. Napoléon n'est pas uniquement celui qui, avec l'aide de Vivant Denon*, aurait mis en coupe réglée les grandes collections européennes pour enrichir le Louvre (musée Napoléon) et servir sa gloire. Il a su, en encourageant les commandes aux artistes, œuvrer à cette régénération de l'école française, objet de tous les vœux depuis la seconde moitié du XVIIIe siècle. David* lui a permis d'opérer ce lien essentiel avec les idéaux artistiques des années révolutionnaires. Les jeunes peintres que furent Gros, Girodet, Gérard, Prud'hon, plus tard Géricault ont inventé l'esthétique du premier Empire et ouvert la voie au romantisme*. Napoléon a stimulé les collectionneurs de son entourage : Soult, qui se passionne pour la peinture espagnole (et n'hésite pas à piller pour alimenter sa passion) ; Joséphine*, qui collectionne sculptures et peintures* ; Fesch*, qui commence à acheter de l'art italien et des estampes. Élisa à Lucques, Eugène de Beauharnais à Milan, se posent en protecteurs des arts. À Paris* et à Rome*, sous l'impulsion de Percier et Fontaine*, l'urbanisme donne aux villes un aspect nouveau. Dans le domaine des arts décoratifs, le style* Empire, que l'on considérait encore au temps de Proust comme froid et funèbre, a aujourd'hui retrouvé des défenseurs passionnés. AG

■ Austerlitz

La bataille d'Austerlitz, en 1805, est la victoire légendaire, la première de la Grande* Armée, celle qui confirme la date du 2 décembre dans le destin napoléonien (voir Sacre). Surnommée la « bataille des Trois Empereurs » (Napoléon, le tsar et l'empereur d'Autriche), elle assoit le pouvoir du général-souverain.

*Bataille
d'Austerlitz,
le 2 décembre 1805*
par François
Gérard,
Salon de 1810.
H/t 510 × 958.
Musée national
du château
de Versailles.

Venus de Boulogne en moins de trois mois, 75 000 Français affrontent 90 000 Russes et Autrichiens dans un lieu choisi par Napoléon au sud-est de Brünn (Brno), en Moravie. Le plan préparatoire est audacieux : feindre de craindre l'affrontement, masquer la concentration des forces, pro-

31

voquer l'offensive adverse (car Napoléon ne veut pas poursuivre plus loin Koutouzov), affaiblir sa droite et laisser ouverte la route de Vienne pour conduire l'adversaire à la faute, attaquer à gauche et envelopper l'ennemi. Mais pour que le piège fonctionne, il aura besoin de modifications tactiques importantes au cours de la journée. L'ennemi se trouve plus au sud que prévu, Napoléon attaque donc au centre sur un terrain difficile (le plateau de Pratzen) pour couper son dispositif en deux. L'excellent comportement des troupes et de leurs chefs ainsi que l'arrivée de renforts dûment organisée feront le reste.

Le choc bien réel de la cavalerie des deux gardes*, la française et la russe, le prince Repnine fait prisonnier, la noyade des Russes dans les étangs, l'illumination des bivouacs la nuit précédente, contribueront à l'imagerie triomphale. JJ

■ BEAUHARNAIS (JOSÉPHINE DE) « Tu seras plus que reine »

Le domaine de La Pagerie, à la Martinique, est le plus méconnu et le plus enchanteur des sites napoléoniens : Marie-Josèphe Rose Tascher y naît en 1763. En France, à 16 ans, elle épouse Alexandre de Beauharnais, union dont naissent Eugène, futur vice-roi d'Italie*, et Hortense, épouse de Louis Bonaparte, roi de Hollande. Général en 1792, Beauharnais est guillotiné quelques jours avant la chute de Robespierre. Liée à Mme Tallien et à Barras, Rose devient l'une des égéries du Directoire. Elle rencontre Bonaparte, qui la rebaptise Joséphine et, à la consternation du clan Bonaparte*, l'épouse en mars 1796. À Malmaison*, la cour* consulaire est brillante, jeune et détendue. Dès 1804, la nouvelle impératrice vit dans l'angoisse du divorce : elle a contre elle la différence d'âge, l'absence d'enfants, les rancunes corses. Elle n'a aucun mal à attirer autour d'elle une société brillante, quoique plus compassée que naguère : esprit d'Ancien Régime et liberté de ton révolutionnaire font merveille. Elle s'endette sans cesse, à la fureur de Napoléon : agrandissements de Malmaison, embellissements du parc, toilettes, tableaux et statues… Après le divorce de 1809, Joséphine vit retirée. En 1814, les alliés viennent lui rendre visite : elle reçoit le tsar peu avant de mourir d'un refroidissement. Napoléon, vaincu après Waterloo*, retournera à Malmaison méditer sur la perte de celle qui avait été la bonne étoile de sa jeunesse. AG

« *Tu ne peux pas mettre en doute ma constante amitié et tu connaîtrais bien mal les sentiments que je te porte, si tu supposais que je puisse être heureux si tu ne l'es pas, content si tu ne te tranquillises.* »

Napoléon à Joséphine.

Portrait de l'impératrice Joséphine par Pierre Paul Prud'hon, 1805. H/t 244 × 179. Paris, musée du Louvre.

■ Bibliothèque

Grand lecteur, Napoléon l'a été depuis l'adolescence jusqu'à Sainte*-Hélène. Étudiant, jeune officier, il possède des classiques grecs, latins et français, des ouvrages de juristes, de philosophes qu'il annote. Jeune général, à Paris, en Égypte*, à Malmaison*, il veut une bibliothèque rassemblant plus de 5 000 volumes. Premier consul, il a bientôt un bibliothécaire particulier, Ripault. Empereur, il fait constituer dans sept résidences, des Tuileries à Laeken (Bruxelles), des bibliothèques qui compteront au total plus de 60 000 volumes disposés dans le même ordre qu'à Malmaison. Il lit vite et s'intéresse à des sujets variés : histoire, géographie, droit, religion, mais aussi théâtre, poésie, romans nouveaux... Ce n'est pas un bibliophile : les livres reliés à ses armes sont le fait de Barbier, bibliothécaire à partir de 1807. On sait que, en campagne, il jette par la fenêtre de sa calèche les livres qui lui déplaisent. Il veut emporter à Sainte-Hélène la bibliothèque de Trianon, ce que Blücher empêchera. Finalement, à Longwood, la bibliothèque gérée par son valet* Ali, le « garde des livres », comptera plus de 3 000 volumes de provenance diverse. La bibliothèque du Louvre ayant brûlé sous la Commune, il ne subsiste plus que de petits ensembles dans les dépôts publics et quelques livres chez les particuliers. JJ

■ Blocus continental.

Voir Angleterre

Château de Malmaison, bibliothèque de l'Empereur aménagée par Charles Percier et Pierre François Fontaine, 1800.

■ BONAPARTE
Une famille de souverains

Napoléon se moque des généalogistes courtisans qui veulent prouver l'illustre origine de son nom. Son père, Charles Bonaparte, a pu attester de deux cents ans de noblesse devant le conseil supérieur de Corse et lui-même a dû fournir des preuves pour entrer au collège militaire de Brienne*. Famille de la petite noblesse rurale, les Bonaparte deviennent grâce à Napoléon une famille de souverains. Du mariage de Charles et Letizia Ramolino (1764) sont issus en effet (voir Tableau généalogique) : Joseph, frère aîné de Napoléon, membre du Conseil des Cinq-Cents lors du 18 Brumaire*, roi de Naples et de Sicile (1806-1808) puis roi des Espagnes et des Indes (1808-1813) ; Lucien, d'abord préféré, grand soutien lui aussi pour le coup d'État, brouillé ensuite avec Napoléon, titré prince de Canino par le pape ; Élisa, princesse de Lucques et de Piombino (1805), grande-duchesse de Toscane (1809), épouse de Félix Baciocchi, issu d'une famille d'Ajaccio comparable à celle des Bonaparte ; Louis, connétable de l'Empire et roi de Hollande (1806-1810), marié à Hortense de Beauharnais, la fille de Joséphine* (de son premier mariage), et père de Napoléon III ; Pauline, mariée au prince romain Camille Borghèse ; Caroline, qui épouse Murat* ; Jérôme, roi de Westphalie (1807-1813), qui en 1807 épouse une altesse royale de la vieille Europe, Catherine de Wurtemberg, union dont descend l'actuel prince Charles Napoléon, chef de la famille impériale (voir Bonapartisme). La disparité des alliances est donc frappante : Joseph fait une reine de Julie Clary, fille d'un négociant marseillais dont Napoléon avait courtisé la sœur Désirée, laquelle épousera Bernadotte et sera reine de Suède ; Lucien, veuf de la belle Christine Boyer dont Gros a laissé un merveilleux portrait, déplaît en épousant sans la permission de son frère Alexandrine de Bleschamp ; Louis est contraint de simuler la réconciliation avec le clan Beauharnais ; Caroline épouse un fils d'aubergiste, cavalier et roi ; Jérôme, qui avait d'abord épousé une Américaine, incarne finalement l'établissement dynastique de la famille, préfigurant l'alliance de Napoléon avec Marie*-Louise d'Autriche en 1810. Après la chute de l'Empire, bon nombre des Bonaparte s'établiront en Italie auprès de Madame Mère, retirée à Rome*. AG

■ Bonapartisme

Le bonapartisme est un courant politique qui, tout au long du XIXᵉ siècle, a revendiqué le pouvoir pour la famille Bonaparte* en s'appuyant sur quelques principes d'organisation du pouvoir. Sa position sur l'échiquier politique varie selon les époques, du centre gauche au début du Consulat* à la droite autoritaire dans les dernières décennies du siècle.

Napoléon ne lègue pas de doctrine « sacrée » à ses successeurs. Lui-même se définit comme soumis aux événements, ce qui lui permet de passer d'un Consulat « éclairé » à un Empire en voie de parlementarisation après avoir été autoritaire. Sans véritable dogme, le bonapartisme se nourrit de quelques principes tels que la souveraineté populaire (par la voie du plébiscite), la délégation de l'autorité à un souverain-représentant, la réconciliation nationale, l'ordre. Ces principes évoluent dans le temps, se mâtinant de bonapartisme « jacobin » lors des Cent*-Jours, « libéral » après la parution du *Mémorial de Sainte-Hélène*, « social » dans les années 1840 sous la houlette de Louis Napo-

« Héritier de 1789, comme son vieil ennemi l'orléanisme, et comme lui recherchant une synthèse équilibrée, le bonapartisme s'en distingue par ses caractères autoritaire et démocratique. Libéral, il n'est plus le bonapartisme. Parlementaire, il devient son propre contraire. »

F. Bluche, *Le Bonapartisme*, 1980.

léon Bonaparte, et enfin « parlementaire » en 1870.

Après la chute du second Empire (1870) et la mort de Napoléon III (1873), le Prince impérial reprend le flambeau du bonapartisme, tandis que le parti progresse lors des élections. Son programme est conservateur, avant de passer, dans les années 1880, à la droite autoritaire. La mort tragique de « Napoléon IV », en juin 1879, met fin à tout espoir de restauration. Le parti bonapartiste (présent à la Chambre des députés jusqu'en 1924), divisé entre les « autoritaires » et les « parlementaires », achève sa mission historique en 1940, avec la dissolution des organisations bonapartistes par le Prince Napoléon (1914-1997). TL

■ **Brienne.** Voir École militaire

Le Triomphe de Bonaparte ou La Paix par Pierre Paul Prud'hon, Salon de 1801. Crayons noir et blanc sur papier bleu 36,7 × 64. Chantilly, musée Condé.

Napoléon faisant une fournée de rois. Gravure satirique de James Gillray, 1806.

■ BRUMAIRE
Bonaparte prend le pouvoir

Le coup d'État des 18 et 19 brumaire an VIII (9-10 novembre 1799) permet à Bonaparte et à Sieyès de s'emparer du pouvoir et d'obtenir la création d'un Consulat* provisoire tricéphale (Bonaparte, Sieyès, Ducos). Ce 18 brumaire, afin de contrer un soi-disant complot jacobin, Sieyès convainc les chambres du Directoire de nommer Bonaparte à la tête de la garnison de Paris et de transporter leurs débats au château de Saint-Cloud, loin des foules parisiennes. Le lendemain, les conspirateurs tentent d'obtenir des Chambres une modification de la Constitution, seul moyen à leurs yeux de sauver la république. Les débats étant fort longs, Bonaparte veut emporter la décision par une harangue à la Chambre basse (Conseil des Cinq-Cents). Bousculé par les députés, il est évacué de la salle des séances sous la protection de ses soldats. Les Cinq-Cents sont dispersés par la troupe. Suite à cet accès de fièvre, le coup d'État parlementaire reprend son cours ; les Chambres (on retrouve une poignée de députés des Cinq-Cents pour venir voter) suspendent la Constitution du Directoire et nomment trois consuls ayant pour tâche de rédiger un nouveau texte, qui sera adopté trois mois plus tard. Grâce à une sorte de coup d'État « consulaire », Bonaparte réussit à éliminer Sieyès et ses amis. Les trois nouveaux consuls sont Bonaparte (Premier consul, ayant voix prépondérante), Cambacérès* et Lebrun (un régicide et un modéré, réconciliation nationale oblige). TL

■ Cabinet

Napoléon a travaillé intimement avec très peu de collaborateurs. Bourrienne, qui a été son condisciple à Brienne*, entre à son service à Leoben (Autriche), se fait apprécier pour son intelligence et sa prodigieuse mémoire jusqu'à ce qu'une sombre affaire de concussion le fasse renvoyer en 1802. Méneval, ancien secrétaire de Joseph Bonaparte*, le remplace jusqu'à sa nomination en 1813 comme secrétaire des commandements de l'impératrice Marie*-Louise. Épuisé par des années de responsabilités durant lesquelles il fait montre de courage, de discrétion et de probité, il est seul chargé du classement et de la correspondance où il sait avec habileté traduire et transcrire la pensée foisonnante du maître. Fain, déjà secrétaire-archiviste depuis 1806, devient le troisième titulaire du poste pour y mener, jusqu'à Waterloo*, la même vie laborieuse et monacale que son prédécesseur. Quelques commis assurent l'intendance. Il faut encore ajouter le nom de Bacler d'Albe, peintre et dessinateur de formation, chef du bureau topographique de 1804 à 1814, date à laquelle, épuisé lui aussi, il est nommé directeur du dépôt de la Guerre. Car si Napoléon n'a guère passé que quatre ans aux Tuileries, le travail de ses collaborateurs, qui le suivent en campagne et en voyage, n'a jamais cessé d'être écrasant. JJ

Portrait de Napoléon dans son cabinet de travail par Jacques Louis David, 1812. H/t 204 × 125. Washington, National Gallery of Art.

■ Cambacérès (Jean-Jacques Régis de)

Cambacérès (1753-1824) est l'homme de confiance de Napoléon. Un de ses biographes écrit qu'il fut « plus qu'un numéro deux et moins qu'un numéro un ». Second consul en l'an VIII, ce personnage flamboyant, réputé pour ses tenues extravagantes, devient archichancelier à la pro-

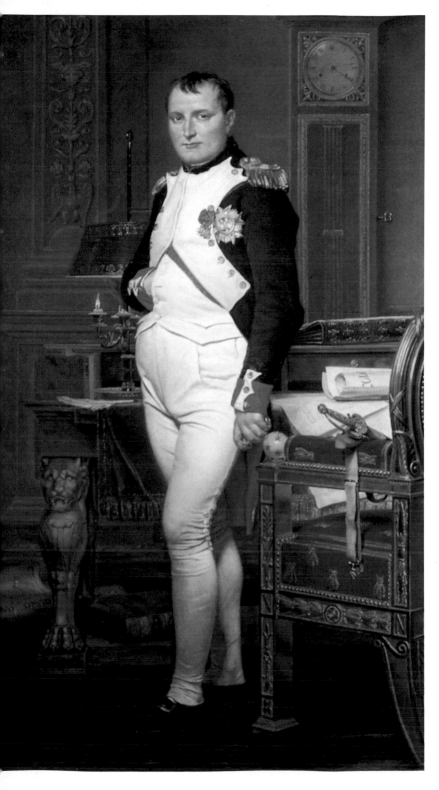

clamation de l'Empire. Dès lors, et sans jamais en avoir porté le titre, il est une sorte de « premier ministre ». C'est à lui que l'Empereur donne de larges délégations lorsqu'il s'absente de Paris : présidence du Sénat, du Conseil* d'État et du Conseil des ministres*. C'est lui qui propose la plupart des nominations du Consulat*, tant la connaissance du personnel politique de cet homme de réseaux est étendue. Il conserve la haute main sur la justice, et est l'un des artisans de la réconciliation nationale et de la codification*.

Cambacérès est aussi un homme de convictions. Il n'hésite jamais à donner son opinion, même contraire à celle de son maître. Il tente d'empêcher l'enlèvement du duc d'Enghien*, est défavorable à la proclamation de l'Empire, déconseille le divorce et le mariage autrichien. Napoléon ne lui en tient jamais rigueur. « Je suis et serai plus que jamais entouré d'intrigues, de conseils faux et intéressés, lui dit-il en 1804 ; vous avez seul assez de jugement et de sincérité pour me dire la vérité. » TL

■ Cavalerie

Napoléon a sur l'usage de la cavalerie des idées arrêtées et nouvelles : elle forme une arme de plein exercice, comme l'artillerie*, ses régiments relèvent du corps d'armée, pas de la division où elle serait fractionnée. Trois catégories, aux trois fonctions : la légère (chasseurs et hussards) éclaire l'armée ; la cavalerie de ligne (dragons et plus tard lanciers) appuie la première et sait mettre pied à terre pour tenir le terrain dans l'attente de l'infanterie ; la grosse cavalerie (carabiniers,

cuirassiers), en réserve, intervient pour créer l'événement et achever la destruction de l'ennemi. La cavalerie a besoin de beaucoup d'officiers et doit être bien instruite pour se mouvoir avec habileté et audace. Les généraux sont jeunes (la trentaine), intelligents, et ne craignent pas de se faire tuer (Colbert en Espagne*, Lasalle à Wagram*, Espagne à Essling, Montbrun à la Moskova). Les charges épiques sont restées célèbres : les escadrons d'Eylau* arrachent la victoire ; ceux d'Eckmühl mettent les Autrichiens en déroute ; mais les charges désordonnées de Ney* à Waterloo*, sur un mauvais terrain, s'écraseront contre les carrés anglais. La cavalerie de Murat*, après Iéna et Auerstaedt, se montre efficace puisque, dans une poursuite de près d'un mois, elle met hors de combat toute l'armée prussienne et réussit même à conquérir des villes. Les dragons de la Garde*, quant à eux, s'enorgueillissent d'avoir couvert les 2 800 km de Valladolid à Vienne en 68 jours. La cavalerie, décimée en Russie*, finit par manquer d'officiers et de chevaux. Péniblement reconstituée, elle n'a plus les grands chefs inventifs du début et l'Empereur peine à prendre les bonnes décisions. Elle se fera massacrer dans les derniers combats. JJ

■ Censure

Confiée au ministère de la Police générale en 1800, à la Justice en 1802, à la Police de nouveau en 1804, la censure exerce sous l'impulsion de Napoléon un contrôle rigoureux sur la presse et sur la littérature. Tatillonne, elle stérilise en partie la production, notam-

Officier de chasseurs à cheval de la Garde impériale, chargeant par Théodore Géricault, 1812.
H/t 292 × 194. Paris, musée du Louvre.

Conférence de Mme de Staël. Aquarelle de Philibert-Louis Debucourt (1755-1832). Paris, Bibliothèque nationale de France.

Le Retour de l'île d'Elbe. Gravure de George Sanders (1774-1846) d'après Charles von Steuben. Paris, musée du Louvre.

étrangère (August Wilhelm von Schlegel, Charles de Villers). Cette critique, qui guide l'Université*, possède deux codes (*le Lycée* [1799] de La Harpe, et *le Tableau* [1808] de Chénier*), un salon (la société du Luxembourg de Joubert et Fontanes), des journalistes au *Mercure de France* et au *Journal des débats* (Geoffroy). Dès 1813 (publication à Londres du *De l'Allemagne* de Mme de Staël) et 1814 (publication à Paris), les muses germaniques rompent ses défenses. La question du romantisme* se pose de nouveau. GG

ment au théâtre*. Combinée à l'exaltation d'un art officiel, elle conduit à ce constat de l'Empereur lui-même : « On se plaint que nous n'avons pas de littérature, c'est la faute du ministre de l'Intérieur » (21 novembre 1806).

Dans ce contexte, la critique littéraire cherche à imposer une révision complète des valeurs afin de rétablir l'autorité esthétique du classicisme. Elle vise les idéologues*, héritiers du siècle philosophique, fort peu romantiques pourtant, mais qui jugent des œuvres selon l'effet psychologique qu'elles produisent. Elle attaque aussi les zélateurs du cosmopolitisme, qu'ils soient proches des Lumières et du goût classique, comme Mme de Staël*, ou adversaires de l'esthétique classique française au nom d'une esthétique

■ CENT-JOURS : DE CLOCHER EN CLOCHER

Mythe dans le mythe, l'épopée du « vol de l'Aigle », revenu de l'île d'Elbe*, débarqué à Golfe-Juan le 1er mars 1815, de retour à Paris trois semaines plus tard, jusqu'à son écrasement à Waterloo*, a marqué profondément la génération romantique*. Alexandre Dumas, fils d'un général de la Révolution*, raconte au début du *Comte de Monte-Cristo* (1845) la stupéfaction qui saisit alors le midi de la France. Napoléon retrouve les Tuileries à peine quittées par Louis XVIII qui doit « recommencer ses voyages ». L'Empereur rallie à lui bon nombre d'officiers et de fonctionnaires dont certains avaient été chargés de l'arrêter (Ney*, qui avait promis au roi de lui ramener l'usurpateur « dans une cage de fer », paiera de sa vie ce revirement). L'Empire, dont la Constitution est complété par un Acte additionnel (rédigé le 1er juin par Benjamin Constant), se libéralise. Mais le sort des armes est inéluctable : les coalisés européens ne souhaitent pas cette résurrection de Napoléon. La campagne de France, malgré une incertitude initiale due à l'incroyable élan provoqué par le retour de l'Aigle, ne pouvait pas, matériellement se solder par une victoire. Et l'Empereur vaincu qui s'embarque à l'île d'Aix* n'a que 46 ans. AG

François René de Chateaubriand, méditant sur les ruines de Rome devant une vue du Colisée par Anne Louis Girodet, 1811. H/t 130 × 96. Musée national du château de Versailles.

■ Chateaubriand (François René de)

Quand Bonaparte prend le pouvoir, le nom de Chateaubriand (1768-1848) est encore obscur. Guère connu en France avant 1826, son premier grand ouvrage, l'*Essai sur les révolutions*, a été publié dans l'émigration (Londres, 1797). Le jeune écrivain y analysait la naissance d'un siècle des « infortunés », nés dans la violence d'une Histoire déboussolée. Ce livre matriciel met en place le rapport indissoluble entre le sujet et l'Histoire, qui devient une dimension existentielle de l'être. Ce sera un thème fondamental du romantisme*. En mai 1800, le retour en France signifie un ralliement au Premier consul, favorisé par l'amitié de Fontanes. 1802 voit le triomphe du *Génie du christianisme*, contemporain du Concordat*, préparé en deux temps : critique de la perfectibilité défendue par Mme de Staël* ; succès d'*Atala* (1801). Les révoltes de *René*, publié séparément en 1805 et destiné à devenir la charte du romantisme, n'en annulent pas la portée. Chateaubriand rêve de devenir la plume du régime. Commence alors une carrière diplomatique à laquelle l'exécution du duc d'Enghien* met fin en 1804. Devenu un opposant, Chateaubriand voyage en Orient (1806-1807), puis se retire en un exil intérieur à la Vallée-aux-Loups pour y écrire notamment *Les Martyrs* (1809) et *L'Itinéraire de Paris à Jérusalem* (1811). Il commence ses *Mémoires*, dont la première idée remonte en 1803. En 1814, la chute de l'Empire lui donne l'occasion d'un fracassant pamphlet, *De Buonaparte et des Bourbons*. Il est prêt à servir la Restauration. GG

■ Chénier (Marie-Joseph de)

Longtemps oublié mais redécouvert aujourd'hui, Marie-Joseph de Chénier (1764-1811) a été célèbre bien avant son frère cadet André, le poète guillotiné.
Lancé dès novembre 1789 par son *Charles IX ou l'École des rois*, auteur de plusieurs tragédies célébrant les vertus républicaines, élu à la Convention, chantre officiel de la Révolution* (il est le parolier du *Chant du départ*), il s'oppose aux excès de la Terreur. Accusé de fratricide après Thermidor, il répond en 1797 aux calomniateurs. Partisan du 18 Brumaire* au nom de la République, proche des idéologues*, il est consterné à la fois par le Consulat* et par le triomphe du *Génie du christianisme* de Chateaubriand*, qu'il attaque par la satire. Chassé du Tribunat en 1802,

académicien et inspecteur général de l'Université* en 1803, il est destitué en 1806 après une *Épître à Voltaire* (« Un Corse a des Français dévoré l'héritage »). *Tibère*, sa dernière tragédie, est interdit l'année de sa mort. Il laisse un testament, le *Tableau historique de l'état et du progrès de la littérature française depuis 1789 jusqu'à 1808*, commande de l'Académie où, ironie du sort, Chateaubriand le remplace. Récemment republié, ce code napoléonien de l'histoire et de la critique littéraires défend aussi bien les Lumières que l'esthétique classique et prend à partie le romantisme*. Témoignage de la fidélité de l'écrivain à ses idéaux, cet ouvrage offre le panorama méthodique le plus complet de la production de l'époque, insistant particulièrement sur la poésie* et sur le théâtre*. GG

■ Codification

Les gouvernements révolutionnaires n'avaient jamais atteint un objectif qu'ils s'étaient fixé : faire un code des lois civiles. Bonaparte confie à des juristes de tout premier plan (Cambacérès*, Portalis, Bigot de Préameneu...) la préparation et le suivi des détails de cette tâche écrasante. Puis il s'implique dans les discussions techniques menées devant le Conseil* d'État qu'il préside à 57 reprises sur les 102 séances consacrées au Code civil. Malgré l'opposition d'une partie des Chambres (qui déplore l'abandon de certaines réformes révolutionnaires) et après quatre ans de travail, les 36 lois et 2 281 articles composant le Code civil (devenu Code Napoléon en 1807) sont promulgués

CODE CIVIL
DES
FRANÇAIS.

ÉDITION ORIGINALE ET SEULE OFFICIELLE.

GRAND-JUGE ET MINISTRE DE LA JUSTICE.

À PARIS,
DE L'IMPRIMERIE DE LA RÉPUBLIQUE.
AN XII. — 1804.

Page de titre de la première édition du *Code civil des Français*, 1804. Musée national des châteaux de Malmaison et Bois-Préau.

le 21 mars 1804. D'autres Codes verront le jour tout au long de l'Empire : Procédure civile (1806), Commerce (1807), Instruction criminelle (1808), pénal (1810) et rural (1814). TL

■ Colonies

Quand Napoléon arrive au pouvoir, les colonies françaises sont réduites à quelques territoires dans les Antilles, au Sénégal et dans l'océan Indien, et Saint-Domingue subit le soulèvement de Toussaint-Louverture. Sous l'influence de Joséphine*, née à la Martinique, de Talleyrand*, des anciens coloniaux et de sa propre formation mercantiliste, le Premier consul exige des Anglais, à la paix d'Amiens, la restitution des possessions perdues. Il doit pourtant céder la Louisiane, indéfendable, et l'expédition malencontreuse du général Leclerc à Saint-Domingue n'empêche pas sa perte. Homme d'Ancien Régime dans ce domaine, Napoléon place les colonies à la discrétion du gouvernement, rétablit l'esclavage, condition essentielle de l'activité économique aux yeux des Blancs et des Créoles, et va jusqu'à interdire l'entrée en France aux gens de couleur. Mais les événements vont vite sur le continent, la marine est défaillante, les colonies livrées à elles-mêmes sont peu à peu conquises par les Anglais. Les cultures de substitution (chicorée, betterave, etc.) aux produits tropicaux sont développées. Aux Cent*-Jours, pour se concilier l'Angleterre* qui a aboli la traite en 1811, Napoléon l'interdit à son tour. Louis XVIII devra s'y conformer. JJ

■ Concordat

La réconciliation nationale est au cœur du programme du Consulat*. Le grand succès de cette politique est la signature du Concordat de septembre 1801. Grâce à cet accord avec le pape, le Premier consul referme une plaie purulente ouverte dans le corps social par la Révolution*. Après de difficiles négociations avec le Saint-Siège, le Concordat met fin à la mésentente religieuse grâce à un échange : contrôle étroit de la nomination des ecclésiastiques par le gouvernement contre liberté du culte catholique, devenu religion de la « très grande majorité des

« En étant bien avec le pape, on domine encore aujourd'hui la conscience de cent millions d'hommes. »

Napoléon.

citoyens français » et non plus religion d'État. Les rapports entre Pie VII et Napoléon se dégradent ensuite (voir Rome). Le pape refuse d'amender les textes, d'adhérer au Blocus* continental, excommunie l'Empereur et finit par être arrêté (1809). Un second – et éphémère – concordat sera signé à Fontainebleau* au début de 1813. TL

Pie VII, élu pape en 1800 par Jacques Louis David. H/t 86 × 71. Paris, musée du Louvre.

■ Conseil d'État

Pour assister les consuls*, la Constitution de l'an VIII crée un Conseil d'État chargé, sous leur direction, de « rédiger les projets de lois et les règlements d'administration publique » et de résoudre les difficultés administratives. Ce corps consultatif est inspiré du Conseil du roi de l'Ancien Régime. L'organisation du Conseil est réglée par Bonaparte lui-même. À la fin de décembre 1799, il nomme les premiers conseillers répartis en cinq sections, chacune présidée par un fidèle : législation (Boulay de La Meurthe), intérieur (Roederer), finances (Defermon), guerre (Brune), marine (Ganteaume). La composition du Conseil d'État est, dès l'origine, éclectique. Le Premier consul ne veut se priver d'aucun talent mais n'hésite pas à révoquer ceux qui le servent mal. Il crée ainsi une brillante assemblée au sein de laquelle il aime à venir travailler et débattre.

Le Conseil d'État amende et se prononce sur tous les textes de lois voulus par le gouvernement consulaire puis impérial, soit

La Rencontre de l'Empereur Napoléon Ier et du pape Pie VII dans la forêt de Fontainebleau, le 25 novembre 1804 par Jean-Louis Demarne-Dunouy. H/t 223 × 229. Musée national du château de Fontainebleau.

*Installation
du Conseil d'État
au palais du
Petit Luxembourg,
le 25 décembre
1799 ; Bonaparte,
Cambacérès
et Lebrun recevant
les serments
des présidents* par
Auguste Couder,
1856.
H/t 421 × 401.
Musée national
du château
de Versailles.

*Portrait
de Bonaparte,
Premier consul*
par Antoine Jean
Gros, 1802.
H/t 205 × 127.
Paris, musée
national
de la Légion
d'honneur.

des milliers de projets. Il s'organise également en embryon de juge administratif. Avec ses conseillers, ses maîtres des requêtes et ses auditeurs, l'institution fondée par Bonaparte pour l'éclairer dans sa marche existe encore aujourd'hui, avec des pouvoirs juridictionnels plus étendus. TL

■ **CONSULAT**
Le marchepied de l'Empire

Créé à l'issue du coup d'État de brumaire* an VIII (9 et 10 novembre 1799), le Consulat est le régime de la France jusqu'au 18 mai 1804, date de la proclamation de l'Empire. C'est un régime républicain dont l'exécutif est confié à trois consuls. Dès le lendemain du coup d'État, Bonaparte commence sa marche vers la concentration du pouvoir entre ses mains, neutralisant puis éliminant ses deux collègues du consulat « provisoire » (Sieyès et Ducos) pour les remplacer, à partir de la proclamation de la Constitution de l'an VIII (13 décembre 1799), par Cambacérès* et Lebrun. Dans cette Constitution, le Premier consul Bonaparte domine l'exécutif et décide en dernier ressort, sans possibilité pour ses collègues de le contrer. Le législatif, composé de deux Chambres (Tribunat et Corps législatif), n'a guère plus de marge de manœuvre, même si le Tribunat tente souvent de barrer la route à Bonaparte, ce qui lui vaudra d'être supprimé en 1807. Le Sénat, de son côté, a essentiellement des pouvoirs constitutionnels, qu'il met au service de Bonaparte sans sourciller. Quant au Conseil* d'État, il assiste l'exécutif et l'éclaire de ses avis. Si une opposition aux projets de Napoléon y existe, elle reste confinée dans l'enceinte du Conseil. C'est pendant le Consulat que Bonaparte (âgé de 30 ans au moment de sa prise de pouvoir !) et les hommes hors du commun qui l'entourent pacifient, réconcilient, réforment et organisent la France*. TL

■ Corse

Napoléon est né à Ajaccio*, dans une île en révolution : au cours d'insurrections à répétition contre la domination génoise, amorcées dans les années 1730, l'île s'est engagée dans la voie d'une indépendance qui séduit l'Europe des philosophes. L'achat de l'île par Louis XV, en 1768, se fait sans consulter ce que l'on nomme déjà la « nation corse ». La famille Bonaparte* se trouve ainsi écartelée entre l'idéal de la république inspiré de Rousseau, l'allégeance à la France qui reconnaît sa noblesse ancestrale et admet le jeune Napoléon au collège de Brienne*, et un tropisme italien qui marque encore l'éphémère souverain de l'île d'Elbe* et le destin d'Élisa, de Pauline, de Caroline. L'intégration de la Corse à la France ne se serait sans doute pas faite sans l'Empire et la fierté que les insulaires tirent de la figure de l'Empereur. Celui-ci n'oubliera jamais sa terre natale, dont il évoque encore l'odeur avec émotion dans le *Mémorial de Sainte-Hélène*. Il a aussi su s'entourer, parmi les généraux, de quelques figures corses qui contribueront à la légende de l'Aigle : Sébastiani, maréchal et diplomate, député de la Corse après 1835, le comte de Casabianca ou le général Arrighi de Casanova, duc de Padoue. Dans son roman *La Vendetta* (1830), Balzac a peint la solidarité et les rivalités des familles corses dans le Paris napoléonien. AG

■ Cour. Voir Noblesse

■ David (Jacques Louis)

Peut-être révolutionnaire avant 1789 (*Le Serment des Horaces*, 1784), David (1748-1825) fut certainement napoléonien avant l'Empire. La conversion de ce Conventionnel régicide à la gloire du grand homme ne s'explique sans doute pas uniquement par l'ambition.

Dès 1801, *Bonaparte franchissant les Alpes* place le héros dans la lignée d'Hannibal et de Charlemagne. L'histoire immédiate, comme au temps de *Marat*, remplace bientôt l'Antiquité. *Le Couronnement de*

Maison natale de Napoléon Bonaparte par Alix Daligné de Fontenay (1813-1892). H/t 52 × 61. Musée national des châteaux de Malmaison et Bois-Préau.

l'impératrice (achevé en 1807, ill. p. 101), connu comme *Le Sacre*, enthousiasme Napoléon : c'est le fascinant portrait de groupe de la société nouvelle. *Napoléon dans son cabinet de travail* (ill. p. 39) montre l'homme d'État, en pleine nuit, dans l'uniforme* que retiendra la légende*. *Léonidas aux Thermopyles* (achevé en 1814, Louvre) représente bien, cette fois sous couvert d'histoire grecque, l'esprit des derniers temps de l'Empire : avant Waterloo*, c'est l'exemple d'un bataillon sacré qui meurt plutôt que de se rendre.

Portraitiste, David a représenté abondamment la noblesse* d'Empire : Estève, Mᵐᵉ Daru,

Jacques Louis David, *Bonaparte franchissant les Alpes au Grand Saint-Bernard*, 1801. H/t 260 × 221. Musée national des châteaux de Malmaison et Bois-Préau.

Français de Nantes. Indésirable dans le Paris de Louis XVIII (qui fait en revanche très bonne figure à Denon*), David s'exile à Bruxelles où il peint ses ultimes chefs-d'œuvre. À Paris, c'est alors Gros qui gère l'atelier et l'héritage artistique du peintre. AG

■ Demi-soldes

Pendant qu'à Sainte*-Hélène Napoléon construit sa légende*, les officiers sans emploi édifient la leur, modeste et nostalgique, sous le regard inquiet du pouvoir politique. La première puis la seconde Restauration ont supprimé près de la moitié des régiments et les officiers en surnombre se sont retrouvés dans une situation originale : ils dépendent toujours de l'administration militaire, doivent s'installer dans le département de leur lieu de naissance et aller toucher leur demi-solde (en fait beaucoup moins) au chef-lieu d'arrondissement. Ils sont 20 000. Peu à peu, leur nombre diminue par la mise à la retraite ou la réintégration et, en 1823,

Le Factionnaire suisse au Louvre par Théodore Géricault, 1819. Lithographie, 39,4 × 33. Paris, École nationale supérieure des beaux-arts.

ils ne sont plus que 5 000. Mais la littérature (Balzac, Vigny, Stendhal, Mérimée, Hugo…), l'illustration (Géricault, Vernet, Charlet) s'emparent de ce type et le popularisent : redingote* râpée, Légion* d'honneur, canne noueuse pour se battre avec les officiers royalistes, le visage marqué par les privations. Peu nombreux pourtant sont les opposants bonapartistes* actifs même si, après 1830 et surtout après 1848, beaucoup s'en glorifient. En revanche, leur rôle économique est indéniable. Leur formation, leur expérience du commandement et de l'étranger leur permettent de devenir commerçants, industriels, d'exercer des professions libérales et, pour 10 000 d'entre eux, d'être agriculteurs (d'où le mythe du « soldat laboureur »). À la longue, le demi-solde, dévoué à son Empereur, incarnera l'officier persécuté, antiroyaliste, quelque peu anticlérical et nationaliste. Une belle transfiguration pour cette « bohème militaire » (J. Vidalenc). JJ

■ Denon (Dominique Vivant)

Denon (1747-1825) fait partie des quelques « têtes à perruque », issues du monde de l'Ancien Régime mais ayant su comprendre avec intelligence la Révolution*, dont Napoléon s'entoura pour contrebalancer les « sabreurs » à la Murat* ou les « bonnets rouges » à la David* : Talleyrand*, par exemple, ou le maréchal Kellermann, vainqueur de Valmy en 1792, modèle de l'officier de l'ancien temps. Denon a 51 ans quand il s'embarque pour l'Égypte* : il a connu Louis XV, occupé des postes diplomatiques en Europe, écrit du théâtre, une nouvelle libertine (*Point de lendemain,*

1777), des récits de voyages. Au retour, le succès de son *Voyage dans la haute et basse Égypte* (1802), dédié à Bonaparte, illustré de nombreuses gravures et devançant la publication des officiels volumes de la *Description de l'Égypte*, lui vaut un grand renom, fait de lui un des inventeurs du style* Empire et l'homme providentiel pour diriger non seulement le Louvre (musée Napoléon) mais toute la politique artistique* du règne. Denon répartit les commandes aux artistes, indique à l'Empereur ce qui lui semble digne d'intérêt dans les Salons de peinture*. Surtout, il se fait attribuer la part du lion dans les collections des villes et des pays conquis. On a parlé un peu vite de pillage : bon nombre d'œuvres sont en réalité achetées, échangées ou comprises dans les clauses des traités. Le Louvre devient ainsi le plus complet des musées de l'époque, permettant à la future génération romantique* de se former. Denon, vers la fin du règne, expose même quelques « primitifs » (Cimabue, Giotto), mal connus encore et peu prisés, demeurés souvent à Paris après les restitutions qui ont suivi Waterloo*. Retiré sous la Restauration, le baron Denon mourra au milieu de ses collections. AG

Dominique Vivant Denon, *Alexandrie, Vivant Denon mesurant la colonne de Pompée*, juillet 1798. Aquarelle. Londres, Victoria and Albert Museum.

■ DESTINÉE
« J'ai vu passer l'âme du monde » (Hegel)

Napoléon est-il moins exceptionnel que sa destinée ? Quand il s'embarque pour Sainte*-Hélène il vient d'avoir 46 ans, il n'en avait pas 27 à sa première victoire à Montenotte en Italie*. Deux décennies changent l'Europe* qui, malgré les réactions de la Sainte-Alliance, ne sera plus jamais comme avant. Au début, les circonstances sont favorables : la France est le pays le plus peuplé d'Europe, les cadres de l'Ancien Régime sont de qualité, l'armée de la Révolution* a quatre ans d'expérience, les officiers, jeunes, sont ouverts à toutes les aventures. Mais Napoléon a-t-il un grand dessein ? Officier, il veut le commandement en chef. Général

vainqueur, il s'exerce au pouvoir (Italie, Égypte*). Homme d'État, il se sent capable de réorganiser le pays. Empereur, l'Europe lui semble à sa mesure. Chaque étape conduit à la suivante et avec prudence, au moins jusqu'en 1807. L'ambition universelle viendra ensuite. Au service de cette « carrière » marquée par la rapidité, un esprit d'analyse et de synthèse hors pair, une étonnante capacité d'assimilation et d'adaptation (mais qui s'usera avec le temps), une mémoire prodigieuse qui a tout retenu des nombreuses lectures de l'adolescent et du jeune officier, une volonté affirmée quoique à éclipses, une faculté de rebond sans regret ni remords, et un sens très moderne de la propagande*. Mais l'homme n'est pas qu'un cerveau en action. Il a le sens de la famille jusqu'à la faiblesse, de l'amitié jusqu'à l'indulgence. Ses sentiments nuisent à son intelligence. Petit – pas trop pour son temps –, d'un physique moyen, doté d'une mauvaise vue, résistant malgré une santé médiocre, parlant le français avec accent, sans talent de tribune, l'écrivant sans grâce mais avec une redoutable efficacité, il a, dirions-nous aujourd'hui, de la présence et du charisme ; il sait faire comprendre et imposer une pensée bien élaborée. Par le travail, il multiplie l'effet de ses talents et devient le premier souverain « manager » de l'Histoire : chef de guerre, administrateur, législateur, bâtisseur, il décide tout parce qu'il étudie tout. Sainte-Hélène n'échappe pas à cette règle. Autant que le lui permet sa santé, il lutte contre son geôlier et construit sa légende*, et cette victoire-là qui échappe à ses adversaires est éternelle. JJ

La Campagne de France (détail) par Ernest Meissonier, 1860-1864. Paris, musée d'Orsay.

■ École militaire

Les écoles militaires jouent un rôle limité dans la formation des officiers, excepté pour les armes savantes. Napoléon, lui-même ancien élève du collège militaire de Brienne (dont les études n'avaient rien de militaire) et de l'École militaire de Paris, institue le prytanée de La Flèche (1805) où entrent des fils de militaires, une école de cavalerie* à Saint-Germain (1809), une école militaire à Fontainebleau (1803), transférée à Saint-Cyr en 1808 ;

l'École d'artillerie* et du génie, à Metz, accueille un recrutement issu de Polytechnique, alors qu'une formation d'artillerie est aussi dispensée dans une dizaine d'autres écoles ; mais il s'agit plus d'un dessein politique et social que d'une volonté militaire. Dans leur majorité, les officiers sortiront du rang, dans l'esprit des guerres de la Révolution*. L'ancienneté n'a guère d'importance, les qualités intellectuelles pas davantage, la bravoure et l'allant sont seuls pris en considération. Les promotions et la Légion* d'honneur récompensent les meilleurs, selon une méritocratie efficace et appréciée. Les officiers d'état-major, qui ne constituent pas un corps autonome, les officiers d'ordonnance, les aides de camp, ne font que recevoir et porter les ordres du maître. Ce système où l'instruction a peu de part révélera ses faiblesses quand les théâtres d'opérations se multiplieront et quand les armées atteindront une taille critique. « Moi seul sais ce que je dois faire », écrit Napoléon à Berthier, son chef d'état-major. Quand il sera absent ou qu'il ne pourra plus tenir en main tous les fils, le courage ne compensera pas le défaut de formation. JJ

La Révolte du Caire par Anne Louis Girodet, 1810. H/t 365 × 500. Musée national du château de Versailles.

ÉGYPTE
Du haut de ces pyramides...

Le Directoire a précipité le vainqueur d'Italie* en Égypte* pour contrecarrer la puissance anglaise et se débarrasser de lui. Campagne difficile, marquée par d'importants revers (destruction en rade d'Aboukir de la flotte commandée par l'amiral Brueys d'Aigailliers, qui n'a pas fait le poids face à Nelson), par de nombreux massacres dont Denon* est le témoin et par un risque permanent

d'enlisement dans un pays hostile, l'Égypte aurait dû mettre un point final à la carrière naissante du général Bonaparte.

L'armée d'Égypte, engagée en Syrie, est décimée par la peste à Jaffa et échoue devant Saint-Jean-d'Acre. Le premier succès est enfin remporté en juillet 1799, toujours à Aboukir, mais cette fois sur terre. Confiant l'armée à Kléber, Bonaparte quitte le pays ; dans la France du Directoire, il apparaîtra auréolé de nouvelles et exotiques gloires, habilement mises en scène. Parallèlement, l'expédition d'Égypte comporte une dimension scientifique et intellectuelle, car Bonaparte embarque avec lui un groupe de savants : Monge (voir Institut), Berthollet, Geoffroy Saint-Hilaire, Denon, Dolomieu... Les volumes de la *Description de l'Égypte*, publiés à partir de 1809, connaissent une diffusion européenne, et le style* « retour d'Égypte » fait fureur dans les décors intérieurs. Découverte en 1799 par l'officier Bouchard, la pierre de Rosette (British Museum) fournira à Champollion la clé permettant de déchiffrer les hiéroglyphes (1822). L'égyptologie était née. AG

■ ELBE (ÎLE D')

Mouchoir de poche dans la mer Tyrrhénienne, à quelques encablures de Piombino, ville à laquelle elle est reliée par une navette maritime, l'île d'Elbe est la résidence de Napoléon après sa première abdication. À la différence de Sainte*-Hélène, qui est une prison, l'île d'Elbe est une petite principauté de 12 000 habitants. L'Empereur y possède son drapeau où figurent les abeilles (voir Symbolique), son gouvernement où domine Bertrand, ministre* de l'Intérieur, et il y amorce une vie politique où les complots

pour le retour tiennent vite la place la plus importante. Trop proche, Napoléon exilé apparaît pour beaucoup de Français comme un possible recours. Entre son arrivée sur l'île, le 4 mai 1814, et son embarquement vers l'aventure des Cent*-Jours, le 26 février 1815, l'Empereur déploie une incroyable activité : exploitation des mines, embellissements de Portoferraio, la capitale, aménagement de diverses résidences. Une vie mondaine s'instaure, avec une cour* en miniature, Pauline et Madame Mère faisant les honneurs du palais. La

Villa de San Martino sur l'île d'Elbe.

fidèle Marie Walewska* vient même en visite discrète avec son fils Alexandre. Napoléon, espérant l'installation de Marie*-Louise, fait décorer par Pietro Novelli une villa dans les terres de San Martino : au plafond de la « salle du conseil », deux pigeons sont peints sur un ciel d'azur ; ils tiennent dans leur bec un ruban noué pour signifier que l'éloignement resserre les liens qui les unit. Marie-Louise n'envisagera jamais sérieusement d'aller jouer la souveraine sur ce rocher. L'Autriche, de surcroît, ne l'aurait pas permis.

On visite aujourd'hui cette maison ainsi que la demeure que le collectionneur Anatole Demidov de San Donato, époux de la princesse Mathilde, a fait construire sur le site, en style néoclassique dans les années 1850. Dans l'île, qui jouit d'un merveilleux climat, bon nombre de lieux évoquent cette incroyable période où le maître du monde régnait sur cette Corse de substitution : fontaine Napoléon à Poggio, forteresse de Porto Azzuro à Longone, la plage où se baignait Pauline dans le golfe de Procchio... AG

Enghien (Duc d')

Dans la nuit du 20 au 21 mars 1804, le duc d'Enghien (né en 1772), petit-fils du Grand Condé, est fusillé dans les fossés du château de Vincennes. Enlevé en territoire badois, rapidement jugé par une commission militaire, il a été reconnu coupable d'avoir conspiré contre le Premier consul. L'affaire a commencé trois mois plus tôt, quand la police démasque la « grande conspiration » menée par le chef chouan Cadoudal : il est prévu que Bonaparte sera enlevé sur la route de Malmaison* et qu'un « prince » pénétrera sur le territoire pour rétablir la monarchie. Par une série de déductions scabreuses, on finit par conclure que le jeune duc d'Enghien est le mystérieux « prince ». On décide de s'en saisir, tandis qu'à Paris, Cadoudal et ses complices sont mis sous les verrous.

L'exécution du duc d'Enghien (très mal ressentie par la population) a été voulue par Bonaparte, en dépit des excuses que lui ont trouvées certains historiens. Elle est un acte fondateur de l'Empire. Elle permet à Napoléon d'éliminer son rival le général Moreau (exilé aux États-Unis pour complicité) et de mater l'armée ; elle lui permet également de rompre définitivement avec les Bourbons et constitue une assurance donnée aux révolutionnaires. Moins de deux mois après la mort du duc, l'Empire est proclamé. TL

Espagne

Bien que gouvernée par un Bourbon (Charles IV), l'Espagne est alliée à la France pendant presque toute la Révolution*. Brumaire* ne change rien à ce système issu du « pacte de famille » de 1761 entre les monarchies de Madrid et de Versailles. Face à l'ennemi commun anglais, les deux pays combattent ensemble sur mer.

En dépit des richesses qu'elle tire encore de ses colonies sud-américaines, l'Espagne d'alors n'a plus rien de l'Espagne de Charles Quint et de ses successeurs qui a dominé le continent dans les siècles passés. Elle hésite entre tradition et modernité, respect des engagements envers la France et jeu indépendant, application du Blocus continental et réouverture du

La Famille de Charles IV par Franscico de Goya, 1800-1801. H/t 280 × 336. Madrid, Museo del Prado.

commerce avec l'Angleterre*. Et puis la dynastie se déchire entre Charles IV et son ministre Godoy, d'une part, et le parti du prince héritier Ferdinand, d'autre part.

Pour sa part, Napoléon connaît mal l'Espagne. Les écrivains français et les rapports d'ambassades la lui décrivent en plein déclin, attendant la régénération venue d'outre-Pyrénées. Il se laisse tenter. Sous prétexte de médiation, il attire Charles IV et son fils à Bayonne (mai 1808) et les force à abdiquer en faveur de son frère Joseph. Ce faisant, Napoléon met le doigt dans l'engrenage qui le broiera. La péninsule Ibérique sera le tombeau de son armée et de son rêve de système européen*. TL

La Mort du duc d'Enghien par Jean-Paul Laurens, 1872. H/t 165 × 104. Alençon, musée des Beaux-Arts.

■ **EUROPE**
Système continental et dynasties familiales

En 1810, l'Europe est française. Le « système » mis sur pied par Napoléon a pour fondations une France* de 130 départements et un royaume d'Italie* (au nord de la péninsule) dont lui-même porte la couronne (Eugène de Beauharnais* en est le vice-roi). Par ailleurs, il a placé les membres de la famille Bonaparte* sur différents trônes. Au-delà de l'entreprise « familiale », l'Empereur tente de fédérer le reste de l'Europe autour de la France. Le roi du Danemark est un allié fidèle. Charles IV d'Espagne* vit sous la protection de son puissant voisin jusqu'en 1808. En 1805, Napoléon se proclame médiateur de la Confédération helvétique et protecteur de la Confédération du Rhin, regroupant les petits États allemands. L'alliance avec les rois de Saxe et de Bavière lui permet de compléter son contrôle sur l'Allemagne et d'en exclure les influences autrichienne et prussienne.

Pour fortifier son système continental, Napoléon développe des voies de communication, des échanges culturels, juridiques, militaires et économiques. La faiblesse de son plan est que la France domine les autres. Mais, malgré les guerres et la montée des nationalismes, Napoléon est justement réputé pour avoir propagé en Europe les idées de la Révolution*. En 1815, le congrès de Vienne referme le couvercle. Cet autre « système », celui de Metternich, durera jusqu'au tournant du siècle. Lorsque le couvercle explosera, c'est souvent vers le souvenir de Napoléon que se tourneront les Italiens, les Polonais ou les peuples balkaniques. C'est là que réside le succès posthume du système continental. TL

et est anéanti. La cavalerie russe contre-attaque. Murat* sauve la situation en chargeant avec toute sa cavalerie*, relayée par les grenadiers et chasseurs à cheval de la Garde*. Une colonne russe contraint la Garde à un combat sans merci dans le cimetière où se tient Napoléon La bataille s'éternise, on ne manœuvre plus guère, l'affrontement est furieux, un corps prussien a renforcé les Russes sur la droite française et Napoléon n'a plus de réserves. Il est 7 heures du soir quand, enfin, Ney* débouche sur la droite russe. Épuisés et prudents, les Russes se résignent à la retraite. Du côté français c'est l'hécatombe : six généraux tués, 20 000 hommes hors de combat. Napoléon, choqué, restera plusieurs jours sur place ; il surveillera l'évacuation des blessés et apportera le plus grand soin à la relation officielle de la bataille et à sa représentation picturale (voir Propagande). Quatre mois plus tard, la franche victoire de Friedland* effacera cette image sanglante. JJ

La Bataille d'Eylau (détail) par Antoine Jean Gros, 1808. Paris, musée du Louvre.

■ Eylau

La bataille d'Eylau préfigure la campagne de Russie* : par ses protagonistes, par les conditions tactiques (les Russes ont reculé les jours précédents pour éviter d'être enveloppés), par la violence des affrontements, par le temps enfin (nous sommes le 8 février 1807 près de Königsberg, dans l'ancienne Prusse-Orientale).

Les Français, fatigués, mal ravitaillés, ne sont que 40 000 face à 60 000 Russes. Après une intense préparation d'artillerie* et une tentative symétrique de débordement des adversaires par leur aile droite, le combat reste incertain. Le 7e corps d'Augereau, lancé sur le centre russe pour forcer la décision, est aveuglé par une tempête de neige, perd sa direction, défile de flanc devant l'artillerie russe

■ Fesch (Joseph)

Demi-frère de Letizia Bonaparte*, séminariste à Aix-en-Provence et prêtre en 1785, Joseph Fesch (1763-1839) aurait pu n'être qu'un obscur chanoine à Ajaccio*. Après Brumaire* et le Concordat*, son ascension est très rapide : archevêque de Lyon, primat des Gaules, cardinal dès 1803, il est représenté par David*, dans son tableau du *Sacre*, revêtu de la pourpre des prélats, aux côtés du souverain pontife. Quelques semaines plus tard, il est grand aumônier de l'Empire. Chateaubriand*, qui a participé à son ambassade à Rome, évoque le personnage dans les

Portrait du cardinal Fesch (détail) par Antoine Claude Fleury, 1807. Ajaccio, musée de la maison Bonaparte.

Mémoires d'outre-tombe. À mesure que les rapports de Rome* et de Paris se gâtent, Fesch fait tout pour temporiser et ne pas s'aliéner le pape, au point qu'il finit par déplaire à l'Empereur. Après 1814, il s'installe à Rome où, mis à part l'intermède des Cent*-Jours, il passera la fin de sa vie. Il veille de loin à la sauvegarde de ses neveux, choisit le piètre Antommarchi pour aller soigner le malade de Sainte*-Hélène. Il se consacre à sa grande passion, la collection d'œuvres d'art : il a retrouvé, en deux morceaux, le *Saint Jérôme* de Léonard de Vinci et affiche un goût marqué pour les artistes de la Renaissance. Une partie de ses collections, dispersées à sa mort, forme, à la suite d'achats intelligents effectués par l'amateur normand Mancel, un des fonds constitutifs du musée des Beaux-Arts de Caen. Le musée d'Ajaccio porte son nom. AG

■ Fontaine et Percier

L'histoire a retenu l'indissociable duo des architectes Charles Percier (1764-1838) et Pierre François Léonard Fontaine (1762-1853), mais l'historiographie contemporaine qui, à la suite de Bruno Foucart, a étudié leur collaboration, tend à renverser l'ordre protocolaire et à parler de Fontaine et Percier. C'est en travaillant pour Malmaison* que « Percier et Fontaine » se font connaître, en 1799, de Napoléon et de Joséphine*. Fontaine se montre et plaît, son ami et associé reste dans son ombre. Moins familier des grands desseins, Percier s'attache plus aux arts décoratifs, travaillant à faire naître un style* Empire nourri de réminiscences romaines et pom-

péiennes. Percier a pour élèves Hittorff et Visconti, qui édifiera le tombeau des Invalides*. Fontaine, préféré sans doute par Napoléon qui aime discuter avec lui, devient en 1804 architecte du Louvre et des Tuileries.

Dans bien des cas, il s'oppose à Denon*, qui privilégie l'organisation du musée. Fontaine réaménage Fontainebleau*, Saint-Cloud, Versailles*, résidences impériales. On lui doit l'arc du Carrousel et les projets pour le palais du roi* de Rome, à Paris*. Les passionnants Mémoires de Fontaine, réédités en 1987, permettent de comprendre les rapports complexes unissant l'Empereur à ses architectes favoris. AG

Château de Malmaison, salle à manger réalisée par Charles Percier et Pierre François Fontaine, 1800.

■ FONTAINEBLEAU

La Révolution* a vidé le vieux château de Fontainebleau. Napoléon, qui aime la chasse, plaisir de souverain, y vient souvent et le fait décorer. Six cents appartements sont conçus pour une cour* qui, à l'image de celle des anciens rois, peut être itinérante. Les commandes aux ébénistes et aux tapissiers témoignent de l'élan que la volonté impériale a donné à la réinstallation de Fontainebleau : le visiteur qui croyait entrer dans la maison de François Ier ne man-

quera pas d'être surpris. Le pape y habite en 1804. C'est d'abord pour lui que le palais a été remis en état. Pie VII y revient en tant que prisonnier de 1812 à 1814.

En avril 1814, Napoléon vaincu s'y réfugie et abdique une première fois en faveur de son fils, le roi* de Rome. Il y abdique sans conditions le 6 avril. Le 20 avril, devant l'escalier à double révolution de la cour du Cheval-Blanc (dite depuis « cour des Adieux »), il salue une dernière fois la vieille Garde*, en une scène immortalisée par le tableau de Montfort (Versailles) : « J'ai sacrifié tous nos

Château de Fontainebleau, salle du trône décorée par Charles Percier et Pierre François Fontaine.

intérêts à ceux de la patrie ; je pars. Vous, mes amis, continuez à servir la France [...]. Adieu, mes enfants ! Je voudrais vous embrasser tous contre mon cœur ; que j'embrasse au moins votre drapeau. »

Les appartements de l'Empereur ont retrouvé leur décor et c'est à Fontainebleau que l'on peut aujourd'hui comprendre le mieux ce qu'était la vie de la cour impériale. La salle du trône (symboliquement, l'ancienne chambre du roi) permet d'imaginer ce que pouvait être celle des Tuileries. Le décor est de Percier et Fontaine*. La chambre de l'Empereur a un caractère officiel que n'ont pas la petite chambre à coucher, le salon dit « de l'abdication », le passage des bains, le salon « des aides de camp ». Les petits appartements privés de l'Empereur et de l'Impératrice sont particulièrement bien reconstitués.

Un musée napoléonien, situé dans l'aile Louis XV, complète cet ensemble, montrant des pièces provenant de la famille impériale : porcelaines, orfèvrerie, costumes, portraits, souvenirs intimes sont exposés dans un décor qui restitue l'atmosphère du palais aux lourdes et éclatantes tentures. AG

Joseph Fouché, duc d'Ostende par Claude Marie Dubufe, v. 1813. H/t 130 × 98. Musée national du château de Versailles.

◼ Fouché Joseph)

Fouché (1759-1820) n'a jamais été prêtre, contrairement à une légende tenace. Il commence sa carrière comme professeur dans un collège religieux avant d'embrasser la cause de la Révolution*. Conventionnel régicide, farouche jacobin, il participe à quelques opérations peu glorieuses dont le massacre au canon des insurgés de Lyon (1793). À la chute de Robespierre, un habile revirement lui permet de se retrouver du côté des vainqueurs. Le Directoire lui confie des ambassades, avant de l'appeler comme ministre* de la Police (juillet 1799). Dans ses nouvelles fonctions, il excelle, ne s'oppose pas à Brumaire* puis s'y rallie franchement. Commence alors une relation tumultueuse entre Bonaparte et lui, jusqu'à sa révocation en 1810. Entre-temps, le « mitrailleur de Lyon » confirme ses qualités de policier (réseau d'informateurs efficace, résolution de grandes affaires). Ainsi, malgré ses opinions souvent opposées à celles de Napoléon, il conserve son portefeuille, jusqu'au moment où l'Empereur découvre que son ministre complote contre lui. Disgracié, Fouché reparaît dans l'entourage de Napoléon aux Cent*-Jours. Il retrouve son ministère et s'empresse de trahir l'Empereur, permettant la seconde Restauration. Mais Louis XVIII ne lui pardonnera pas d'avoir été régicide. Brisé, l'ancien ministre de la Police mourra dans son exil de Trieste. **TL**

■ France

Organiser la nation est l'ambition permanente de Napoléon, avec l'ordre et la réconciliation nationale comme principes directeurs. L'un et l'autre ne peuvent être atteints sans une réorganisation profonde des administrations*. On opte pour une structure pyramidale dont le sommet est le chef de l'État. La loi du 28 pluviôse an VIII uniformise et simplifie la grille administrative. L'autorité locale est déléguée aux préfets qui exercent l'ensemble des compétences étatiques dans leur département : représentation de l'État, direction des services, tutelle sur les autres niveaux locaux que sont l'arrondissement (avec un sous-préfet) et la commune (avec des maires nommés). C'est encore le préfet qui informe Paris des petits et grands événements de son ressort et surveille l'esprit public. C'est lui qu'on consulte pour les nominations, les promotions, les décorations. En un peu plus de dix ans, l'administration locale est transformée. On installe les préfets et sous-préfets. On donne un fort pouvoir d'influence aux notables, pierre angulaire de l'organisation sociale napoléonienne. On codifie*. On crée les grandes juridictions et le maillage des tribunaux sur tout le territoire. On s'occupe de routes, de canaux, de fortifications, d'éducation, d'aide aux indigents, etc. Les bases de la France moderne sont jetées. TL

■ Friedland

Après Eylau* (8 février 1807), Napoléon a fait prendre les quartiers d'hiver entre Königsberg et Dantzig, qui capitule à la fin de mai. Le Russe Bennigsen est passé à l'offensive, n'a pas insisté, et c'est Napoléon maintenant qui est à sa poursuite. Murat* et ses 55 000 hommes ont pour mission de l'accrocher en attendant le gros de l'armée, mais l'impétueux maréchal s'engage trop et c'est le sanglant combat de Heilsberg (11 juin), qui aurait

Vue panoramique de la bataille de Friedland, le 14 juin 1807 (détail) par Siméon Fort (1793-1861). Aquarelle. Musée national du château de Versailles.

pu être désastreux si les Russes avaient attaqué. La route de Königsberg, cependant, est ouverte. La bataille de Friedland, improvisée, va donc s'engager en fonction de cet objectif. Le 13 juin, Bennigsen attaque l'avant-garde (Lannes), occupe les précieux ponts de Friedland (Napoléon prévenu met aussitôt en marche plusieurs corps) et, le 14 au matin, fait passer presque toute son armée sur la rive ouest de la rivière Alle. La bataille proprement dite commence tard, à la fin de l'après-midi, lorsque les Français se sont renforcés. Le plan de Napoléon est de rejeter l'ennemi hors de Friedland et de lui couper l'accès des ponts vers l'est par un mouvement offensif de l'aile droite. Malgré une vive résistance, la manœuvre réussit. La gauche et le centre étant passés à l'offensive, les Russes sont pris en tenaille, coincés entre les Français et la rivière qu'ils ne peuvent plus franchir. Bataille de rencontre, manœuvrière dans sa préparation et son exécution, conçue sur place et vivement conduite. L'armistice est signé le 25 juin et la paix à Tilsit, le 8 juillet. JJ

Garde impériale

« La Garde impériale entra dans la fournaise… » Victor Hugo a donné un brevet de postérité à ces soldats d'élite, surnommés les « immortels » par ironie car jusqu'à la campagne de Russie* la Garde fut rarement engagée, restant en réserve pour des opérations décisives. Ayant pour chef unique l'Empereur, les colonels généraux (tous maréchaux *) assurant le service par roulement, elle grossit jusqu'à constituer une véritable armée : plus de 50 000 hommes en

Grenadier de la Garde par Nicolas Toussaint Charlet, 1842. H/t 81 × 65. Paris, musée du Louvre.

L'Entrée de la Grande Armée à Paris par la barrière de Pantin, le 25 novembre 1807 par Nicolas Antoine Taunay, Salon de 1810. H/t 182 × 221. Musée national du château de Versailles.

1812 (vieille, moyenne et jeune Garde), avec son infanterie, dont les grenadiers et les chasseurs à pied au célèbre bonnet à poil doivent s'être distingués dans la ligne pendant deux campagnes et cinq ans de service, sa cavalerie (grenadiers, chasseurs, mamelouks*, « dragons de l'Impératrice », lanciers qui se distinguent à Somo Sierra en Espagne*) et son artillerie à cheval et à pied ; et aussi des soldats du génie, du train, des gendarmes d'ordonnance et même des marins. La Garde forme une armée dans l'armée. Les sous-officiers et les officiers ont rang du grade supérieur. Leurs soldes sont plus élevées, leurs uniformes* et leur armement de meilleure qualité. Ces avantages, leur esprit de corps et la confiance totale de l'Empereur, en particulier dans les moments difficiles, les font jalouser et créent des conflits d'autant que leur comportement dans la gestion des approvisionnements n'est pas sans reproche. Mais leur légitime réputation de courage et de discipline les fait aimer du peuple. JJ

■ GRANDE ARMÉE
Esprit de corps et sens de la nation

La Grande Armée, que Napoléon commande en personne, naît à Boulogne en septembre 1805. Si la moitié des soldats, conscrits, ont rejoint ses rangs depuis deux ou trois ans, un quart ont fait toutes les campagnes de la Révolution*, un deuxième quart celles de 1800 ; une moitié des officiers ont servi avant 1789, les autres sont issus des premiers volontaires. Leur moyenne d'âge est élevée, des lieutenants aux généraux : 40 ans environ. Esprit d'indépendance, d'égalité, de corps et sens de la nation sont la règle. Les « sept torrents » (sept corps) qui marchent vers l'Autriche comptent 190 000 hommes. En 1806, même effectif. En juin 1807, l'effectif double, renforcé par un quart d'étrangers. L'Espagne* constitue une parenthèse, même quand l'Empereur y commande. La deuxième Grande Armée apparaît en 1809 : 200 000 Français et 100 000 soldats des nations alliées ; la moitié des Français n'ont jamais combattu : l'infanterie n'est plus aussi bonne manœuvrière (Wagram*). La Grande Armée de Russie* regroupe plus de 500 000 hommes, dont à peine la moitié sont français. Les rescapés ne seront pas 70 000 en comptant les réserves. En 1813, Napoléon peut se mettre à la tête des 135 000 hommes s'ajoutant aux 60 000 du prince Eugène, presque tous français. De nombreuses troupes occupent encore des places allemandes. Bientôt Napoléon retrouve 400 000 hommes, mais après les échecs et les défections des alliés il n'en a plus que 140 000 à Leipzig et 60 000 seulement pour garder le Rhin. Pendant la campagne de France, il ne dispose plus que de 70 000 hommes. En 1815, il fera sa dernière campagne avec 120 000 hommes.

Année après année, la conscription s'est épuisée à combler les manques : 2 millions de Français des anciens départements et plus de 600 000 « étrangers » pour toutes les armées de l'Empire. 1 200 000 Français des anciens départements ont disparu (morts, prisonniers ou en longue absence), 300 000 réapparaîtront. Les pertes sont donc de 900 000 hommes pour une décennie de guerre, mais seulement 5 % de l'effectif total sont morts des suites des combats. Rentrés dans leurs foyers, les survivants alimenteront la légende. JJ

▨ Grognards

En 1807, en Pologne, les soldats de la Garde* expriment leur mécontentement devant les dures conditions des opérations. Napoléon les exhorte : « Courage, mes grognards ! » Le surnom fera florès, popularisé par Charlet et Raffet, Hugo et Gautier, étendu à tous les anciens soldats de l'Empire. Comme la durée du service est illimitée en temps de guerre (loi Jourdan 1798), ils ont fait toutes les campagnes. D'origine paysanne, souvent illettrés, peu formés faute de temps, ils apprennent sur le terrain avec les anciens. Ils savent marcher : ceux de la division Friant parcourent 128 kilomètres en 54 heures pour atteindre Austerlitz* (la retraite de Russie* se fera encore à la vitesse de 21 km par jour) alors que l'équipement complet pèse plus de 25 kilos (fusil, cartouches, baïonnette, parfois sabre-briquet, havresac et capote). Malgré l'uniforme* réglementaire, ils s'habillent souvent de prises et le problème des chaussures n'est jamais résolu. Mal nourris, payés de temps en temps, indisciplinés et parfois absents (sauf au combat), ils gardent un extraordinaire moral. On attaque en serrant les rangs sous la mitraille. Derrière, en colonne, le fusil dans le creux de l'épaule gauche, on avance au pas de route au son du tambour jusqu'au choc à la baïonnette. Devant la contre-offensive on recule, puis on avance à nouveau et, si la cavalerie charge, on se forme en carrés avant de repartir. Ce comportement offensif exige des soldats d'expérience, encadrés et déterminés, et la note à payer est chère. Même dévoués jusqu'à la fin à Napoléon, ces « grognards » de moins en moins aguerris ne formeront plus l'instrument invincible des premières victoires. JJ

Ils grognaient et le suivaient toujours. Lithographie de Denis Auguste Marie Raffet (1804-1860).

■ Idéologues

Dernière génération des Lumières, d'abord connus comme le « groupe d'Auteuil », car plusieurs d'entre eux s'y réunissaient avant la Révolution* dans le salon de Mme Helvétius, ils se reconnaissent dans les *Éléments d'idéologie* publiés à partir de 1801 par Destutt de Tracy, qui définit une « science des idées ». Ces « idéologistes » se verront traités d'« idéologues » par le Premier consul Bonaparte. Le nom leur est resté. Philosophes (Condorcet, Destutt, Gérando, Maine de Biran), savants (Laplace), économistes (Say), médecins (Bichat, Cabanis), historiens (Daunou, Volney), tous refusent la métaphysique, partagent une conception sensualiste de la connaissance, forment le projet d'une science de l'homme fondée sur la raison, l'analyse et l'esprit critique, et affirment la perfectibilité de l'homme,

Marie François Xavier Bichat par Pierre Maximilien Delafontaine, 1799.
H/t 100 × 81.
Musée national du château de Versailles.

condition du progrès. Après Thermidor, ils investissent l'Institut, les Écoles centrales, l'École normale supérieure, organismes qu'ils ont largement contribué à créer, et possèdent une tribune, *La Décade philosophique, politique et littéraire*. Le général Bonaparte les courtise sous le Directoire et, en Brumaire, trouve parmi eux des complices, tels Sieyès, Roederer ou Cabanis. Déçus par l'autoritarisme et le Concordat*, ils se battent au Tribunat, dont ils se font écarter. En 1803, le Premier consul réforme l'Institut et supprime la classe des sciences morales et politiques qui fait alors figure de foyer d'opposition. En 1807, *la Décade* est contrainte de fusionner avec *le Mercure*. GG

■ Industrie

Plus tardif qu'en Angleterre*, le démarrage industriel de la France date de l'Empire : machinisme, sidérurgie, textile. La lutte économique contre l'Angleterre a joué un rôle essentiel. Les nécessités de l'armement amènent un relatif essor de la métallurgie, mal coordonné, donnant naissance à une population ouvrière dans des régions de tradition rurale qui vivaient jusqu'alors de la forêt (l'Alsace et la Lorraine).

Le développement le plus spectaculaire s'observe dans le textile : la mode des indiennes et des cotonnades s'accompagne de la fermeture du commerce britannique. L'armée a besoin d'uniformes*. La France est contrainte de développer par ses propres moyens une technologie qu'elle expose fièrement en 1810. C'est pourtant le début de la crise : les grands centres sont touchés, soyeux de Lyon, entreprise de Dollfus à Mulhouse, toiles d'Oberkampf à Jouy... Richard-Lenoir incarne le prototype du capitaine d'industrie qui fit sa fortune sous l'Empire : manufacturier de génie, il démultiplie ses usines textiles à Paris et en province. 1815, en ce domaine, marque l'irruption des Anglais sur le marché français, début d'une série de difficultés économiques qui marqueront encore les débuts de la monarchie de Juillet. AG

■ Institut

Le 8 août 1793, toutes les académies – des arts, des lettres et des sciences – de l'Ancien Régime disparaissaient pour être remplacées en 1795 par l'Institut national des sciences et des arts, divisé d'abord en trois classes puis en quatre par l'arrêté consulaire du 23 janvier 1803 : sciences physiques et mathématiques

*Exposition
des produits
de l'industrie dans
la cour Carrée
du Louvre
en l'an IX*, 1801.
Aquarelle
anonyme. Paris,
musée Carnavalet.

(65 membres), langue et littérature françaises (40 membres), histoire et littérature anciennes (40 membres) et beaux-arts (29 membres). En 1797, Bonaparte lui-même, qui avait été un bon étudiant en mathématiques mais était surtout le vainqueur d'Italie, est élu au fauteuil de Carnot, dans la classe des sciences, distinction dont il est très fier. (Un an plus tard, il sera à l'origine de la création de l'Institut d'Égypte*, présidé par Monge et comptant 36 membres, savants et artistes, dont la moitié appartiennent également à l'Institut national.) Parmi les membres des deuxième et troisième classes figureront quelques noms proches du pouvoir : Cambacérès*, Roederer, Fontanes, Joseph et Lucien Bonaparte*, Maret, Sieyès… Dans la classe de langue et littérature, douze titulaires de l'ancienne Académie française sont réincorporés, et si la postérité n'a pas retenu beaucoup de noms (à l'exception de Chateaubriand*, imposé par Napoléon en 1811), c'est que la littérature de l'époque n'est pas riche de grandes signatures. En 1806, l'Institut se voit attribuer l'ancien Collège des Quatre-Nations, édifié quai Conti par Mazarin. L'architecte Vaudoyer aménage la chapelle en salle des séances et la dote d'une coupole surbaissée. JJ

■ INVALIDES

*« Je désire que mes cendres reposent
sur les bords de la Seine, au milieu de ce peuple français
que j'ai tant aimé. »*

Les Invalides n'abritent pas uniquement, sous le dôme, le sarcophage de porphyre rouge dans lequel repose Napoléon depuis le retour des cendres organisé en grande pompe par Louis-Philippe. L'hôtel voulu par Louis XIV recèle aussi le musée de l'Armée, le plus passionnant ensemble historique parisien concernant (entre autres) le premier Empire. Joseph et Jérôme Bonaparte* ainsi que le roi* de Rome sont ensevelis aux côtés de Napoléon et de quelques grandes épées françaises. Chaque année, le 5 mai, anniversaire de la mort de Napoléon, s'y retrouvent les nostalgiques les plus divers : Corses*, Anglais, bonapartistes*, napoléonistes... Dans le musée, la « salle des emblèmes » regroupe les étendards des régiments français dissous, autour du chef-d'œuvre d'Ingres, *Napoléon sur le trône impérial*, fascinant portrait d'un empereur hiératique et inaccessible. Au fil des salles, le visiteur reconnaîtra bon nombre de souvenirs de l'épopée : le manteau de Bonaparte à Marengo, que David* copia dans son *Bonaparte franchissant les Alpes au Grand Saint-Bernard* (1801, Malmaison), la selle du couronnement, l'épée d'Austerlitz*, le collier de la Légion* d'honneur, le petit chapeau et la redingote* grise. Une tente de campagne avec son mobilier pliant permet d'appréhender le mode de vie spartiate de l'Empereur sur les champs de bataille, et le salon de Longwood est reconstitué un peu plus loin avec un lit provenant de Sainte*-Hélène. Une curieuse vitrine montre, naturalisés, Vizir, un petit cheval blanc des écuries impériales, marqué du N, et un chien qui appartenait au grand homme. De nombreux tableaux d'histoire (Paul Delaroche, Édouard Detaille dont le musée possède un fonds très important) illustrent par ailleurs les principales batailles du règne. La bibliothèque est ouverte aux chercheurs qui se passionnent pour le domaine de l'uniformologie ou du « militaria » ; les généalogistes n'y trouveront en revanche aucune source d'archives, celles-ci étant réunies au Service historique du château de Vincennes. AG

Les Invalides,
chapelle Saint-Louis,
le tombeau de Napoléon.

Italie

Napoléon aborde la première campagne d'Italie (1796-1797) avec de pauvres moyens : soldats mal nourris, mal équipés et peu nombreux. Son activité et les ressources d'un pays riche vont suppléer à tout. Ses manœuvres subtiles, rapides, déconcertent un ennemi (les Sardes puis les Autrichiens) gêné par des méthodes surannées et des chefs âgés. Le courage de la troupe, enthousiasmée par la succession des victoires, la faiblesse des pertes et la participation active de ses officiers, triomphe à Rivoli, Lodi, Castiglione, Arcole, qui conduisent aux préliminaires de Leoben et à la paix de Campoformio (17 octobre 1797). Général vainqueur, Napoléon réorganise complètement l'Italie du Nord, fait son apprentissage de chef d'État, envoie au Directoire numéraire et œuvres d'art*, et pèse sur sa politique en intervenant dans le coup d'État de fructidor.

La seconde campagne d'Italie est celle du Premier consul qui prend le commandement d'un des théâtres d'opérations. Pendant que Moreau réussit en Allemagne et que Masséna échoue à Gênes, Napoléon à la tête de l'armée de réserve franchit le col du Grand Saint-Bernard et livre la bataille de Marengo (14 juin 1800). 30 000 Autrichiens attaquent 22 000 Français dispersés ; à 17 heures, la bataille semble perdue, mais une poursuite autrichienne mal conduite, l'armée de Desaix (qui sera tué) arrivée en renfort avec 6 000 hommes, de nouvelles dispositions prises par Napoléon et les initiatives des généraux retournent la situation. Après la victoire de Hohenlin-

den par Moreau (3 décembre), des armistices sont conclus. La paix de Lunéville (9 février 1801) puis d'autres traités réorganisent l'Italie. L'Europe* commence à devenir française. JJ

Joséphine.

Voir Beauharnais

Légende

Officielle sous l'Empire et en grande partie construite par Napoléon lui-même (la presse, les bulletins de la Grande* Armée, l'art*), la légende napoléonienne est aussi noire, chez les libéraux (Mme de Staël*, Benjamin Constant) qui dénoncent le despote et chez les royalistes (Chateaubriand*) qui stigmatisent l'usurpateur héritier de la Révolution*. Ce courant persistera, de Michelet à Maurras. Après Waterloo*, les vaincus de l'ordre restauré et les nostalgiques, victimes de l'Histoire (Musset, *La Confession d'un enfant du siècle*, 1836), redorent la légende. Dès 1818, les chansons de Béranger donnent au culte ses hymnes, et, en 1817, les *Victoires et conquêtes des Français* (Beauvais, Thiébault et Parisot) inaugurent une longue série d'hagiographies militaires. En 1823, le *Mémorial de Sainte-Hélène* de Las Cases offre à la jeunesse romantique une image prométhéenne. Colporté aussi par l'imagerie (les lithographies de Raffet), le mythe entre en littérature, en France comme en Europe (Byron, Pouchkine, Heine, Tolstoï, et même Conan Doyle). Tous les grands écrivains l'évoquent, Balzac (*Le Médecin de campagne*, 1832) comme Stendhal (*La Chartreuse de Parme*, 1838). L'*Ode à la colonne* (1827) de Victor Hugo demande le retour des cendres

de l'Aigle, qui aura lieu en 1840 (voir Invalides). Le poète transformera l'épopée en combat politique contre « Napoléon le petit », fustigé dans *Les Châtiments* (1853), alors que Thiers publie son *Histoire du Consulat et de l'Empire* (1845-1862). Si Erckmann et Chatrian en montrent l'envers (*Histoire d'un conscrit de 1813,*1864), Barrès exalte l'exemple à suivre (*Les Déracinés*, 1897), et Edmond Rostand le souvenir de l'homme au petit chapeau (*L'Aiglon*, 1900). Aux rêves littéraires le cinéma, du *Napoléon* d'Abel Gance (1925-1927) à l'*Adieu, Bonaparte* de Youssef Chahine (1985), ajoutera bientôt ses magiques pouvoirs d'évocation. GG

Légion d'honneur

La Révolution* avait supprimé les distinctions (1791), puis accepté leur retour, sous forme d'armes d'honneur pour les militaires. En Italie* et en Égypte*, Bonaparte en avait distribué un grand nombre. Une fois au pouvoir, il décide de créer un ordre « national » permettant à la fois de récompenser le mérite civil et la bra-

voure militaire, et de créer une sorte de chevalerie qui regroupera les élites du pays. La Légion d'honneur voit donc le jour, par un décret du 19 mai 1802. Les premières « croix » (attachées à un ruban rouge) sont remises deux ans plus tard. L'ordre est intégré à la noblesse* d'Empire en 1808.

« Immense et puissant levier pour la vertu, le talent et le courage » (Napoléon), la Légion d'honneur est, comme toutes les institutions napoléoniennes, organisée de façon pyramidale. Les grades vont de « légion-naire » (chevalier) à « grand cordon » (réservé aux dignitaires du régime), en passant par les officiers, les commandants (commandeurs) et les grands officiers. L'ordre est dirigé par le chef de l'État, entouré d'un conseil d'administration. Quinze cohortes couvrant chacune plusieurs départements regroupent les légionnaires, dont le nombre est limité : 7 grands officiers, 20 commandants, 30 officiers et 150 légionnaires par cohorte. Ce sont en réalité environ 35 000 personnes qui seront décorées entre 1802 et 1815. TL

Pages suivantes :
Napoléon Ier sur le trône impérial par Jean Auguste Dominique Ingres, 1806. H/t 260 × 163. Paris, musée de l'Armée.

Bonaparte au Conseil des Cinq-Cents à Saint-Cloud, le 18 Brumaire (détail) par François Bouchot 1840.
Musée national du château de Versailles.

■ LÉGITIMITÉS NAPOLÉONIENNES
De Brumaire à l'Empire héréditaire

Napoléon a (successivement ou simultanément) invoqué plusieurs principes pour légitimer sa présence à la tête de l'État. En Brumaire*, il fait appel à une légitimité « matérielle » : il est le *seul* capable de relever la France. Se rendant compte qu'un tel argument n'assure pas son pouvoir à long terme, car il suffit d'un échec pour faire disparaître cette légitimité contingente, il opte pour un appel à la souveraineté populaire. Des plébiscites sont organisés pour approuver la Constitution de l'an VIII, le Consulat* à vie (1802) et l'hérédité impériale (1804). Puis le plébiscite disparaît jusqu'aux Cent*-Jours. Entre les deux, Napoléon se considère comme le seul représentant de la nation.

Avec le sacre*, il fait appel à une quatrième forme de légitimité, plus durable à ses yeux : celle d'une monarchie. Il pense fonder une IVe dynastie. Il copie l'Ancien Régime. Empereur « par la grâce de Dieu et les Constitutions de la République », il entre même dans la famille des rois en épousant Marie*-Louise (1810).

Malgré tous ces effort et l'appel à pas moins de quatre principes de légitimité (matérielle, populaire, nationale, monarchique), l'Empire chute en 1814. Et nul ne pense à porter sur le trône le fils de l'Empereur, le roi* de Rome. C'est finalement la légitimité « matérielle » qui, aux yeux de la France comme de l'Europe, a seule conservé sa valeur. TL

■ MALMAISON

Joséphine* a le bon esprit d'acheter une maison de campagne dès 1799, d'abord lieu de rencontre du « réseau » qui met au pouvoir le général Bonaparte, puis d'en faire sous le Consulat* un lieu de résidence sans protocole où les jeunes officiers glorieux jouent aux barres et à colin-maillard avec les beautés du moment. Sous l'Empire, Napoléon qui aime la demeure et son parc, aujourd'hui réduit à sa portion congrue, y réside souvent, signant même quelques importantes décisions dans ce paradis qui le change du palais des Tuileries « triste comme la grandeur ». Napoléon III en fit un musée, complété par la collection napoléonienne du mécène Osiris.

Aujourd'hui, on visite un château redécoré, selon le goût de Joséphine, par Percier et Fontaine*, mais aussi par Berthault qui redessina d'abord les jardins : manquent les serres de fleurs rares, les animaux de la ménagerie, les collections de sculptures et de petits tableaux troubadour qu'affectionnait l'Impératrice. Pour ces derniers, quelques toiles dans le salon de musique permettent d'imaginer ce qu'était l'ensemble. La salle à manger pompéienne est encore d'inspiration Directoire, la salle du conseil est décorée comme une tente militaire à rayures. Des tableaux témoignent bien du goût Empire : des compositions inspirées du mythe d'Ossian, réalisées par Gérard et par Girodet, ou bien l'original du *Bonaparte franchissant les Alpes au Grand Saint-Bernard* de David, dont il existe maintes versions. La « table des maréchaux » représente, sur son plateau en porcelaine de Sèvres, bon nombre de héros de l'épopée. Les appartements de l'Impératrice ont été reconstitués : lit de Jacob-Desmalter et soies rouges imitant la forme d'une tente ovale. La bibliothèque* de l'Empereur ouvre sur le parc : elle a été remeublée avec des éléments provenant des Tuileries et des ouvrages aux armes ayant appartenu à l'Empereur. Non loin de Malmaison, le petit château de Bois-Préau, qui appartenait aussi à Joséphine, abrite un musée consacré aux souvenirs de Sainte*-Hélène et à divers objets témoins de la légende* napoléonienne. AG

Château de Malmaison, chambre de Napoléon, mobilier provenant des Tuileries et de Saint-Cloud.

Laurent de Gouvion Saint-Cyr, maréchal de France, au bivouac de la bataille de Polotsk, le 18 août 1812 par Horace Vernet, 1821.
H/t 214 × 140.
Musée national du château de Versailles.

Maréchaux

Le maréchalat n'est pas un grade, mais une dignité civile, rétablie en 1804 après avoir été supprimée en 1793. Au total ils seront sous l'Empire 26 maréchaux, dont 18 nommés en 1804 (Berthier, Murat*, Moncey, Jourdan, Masséna, Augereau, Bernadotte, Soult, Brune, Lannes, Mortier, Ney*, Davout, Bessières, plus quatre honoraires : Kellermann, Lefebvre, Pérignon, Sérurier). Seront ensuite nommés Victor (1807), Macdonald, Marmont, Oudinot (1809), Suchet (1811), Gouvion Saint-Cyr (1812), Poniatowski (1813), Grouchy (1815). Courageux, presque tous titrés (voir Noblesse), riches (quoique inégalement), ils sont très différents d'âge, d'origine, de formation, de caractère, d'intelligence et de fidélité. Bons entraîneurs d'hommes s'étant distingués pendant les guerres de la Révolution*, tacticiens éprouvés, ils ne sont pas de grands stratèges* (excepté Davout et, à moindre niveau, Gouvion Saint-Cyr et Suchet). Napoléon les utilise d'ailleurs de diverses façons sans rien leur enseigner et en leur permettant peu. Sur la fin, ils auront tous envie de profiter de leur situation et de leurs biens. En 1814 et 1815, ils deviendront réticents et on a pu parler d'une « trahison des maréchaux ». Ils se rallieront assez vite au nouveau régime qui les comblera d'honneurs pour s'attacher leur gloire. Beaucoup mourront dans leur lit, trois au combat (Lannes, Bessières, Poniatowski), deux fusillés (Murat, Ney), deux assassinés (Brune, Mortier) et un d'un accident ou par suicide (Berthier). Les deux derniers survivants illustreront des

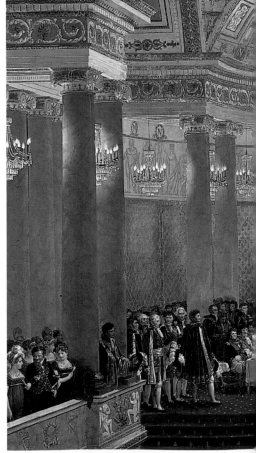

comportements opposés : Marmont mourra en exil en 1852, traînant l'opprobre de sa « trahison », tandis que Soult, ministre sous Louis-Philippe pendant onze ans, sera promu maréchal général en 1847 et deviendra immensément riche. Les Bernadotte sont toujours sur le trône de Suède. JJ

◼ Marie-Louise

Fille de l'empereur François, monté sur le trône d'Autriche en 1791, et de Marie-Thérèse de Bourbon-Sicile, Marie-Louise (1791-1847) grandit dans l'exécration des idées de la Révolution* et par-dessus tout de l'usurpateur Bonaparte. En 1805, elle doit quitter Vienne précipitamment devant l'arrivée de l'Ogre. Elle prie pour la défaite de « l'Antéchrist » qui vient de faire tomber le Saint Empire romain germanique. Wagram* est pour elle un désastre absolu. Mais Metternich estime qu'elle serait l'épouse idéale pour le nouveau maître de l'Europe*. Son père la sacrifie donc à la raison d'État et le mariage le plus invraisemblable du siècle a lieu aux Tuileries, le 2 avril 1810. Marie-Louise n'a pas la trempe d'une

Banquet du mariage de Napoléon Ier et de Marie-Louise, le 2 avril 1810 aux Tuileries par Alexandre Dufay, dit Casanova, Salon de 1812. H/t 148 × 224,5. Musée national du château de Fontainebleau.

héroïne tragique : heureuse avec Napoléon qui la comble d'attentions, mère du roi* de Rome en 1811, elle tient une cour plus raide que celle de Joséphine* et s'adonne aux distractions des souveraines de l'ancien monde. Régente en 1813, dénuée de sens politique, elle quitte Paris en mars 1814. Retirée en Autriche, elle succombe au charme du comte de Neipperg. Napoléon l'attend en vain sur l'île d'Elbe*. Waterloo* la rassure, elle devient duchesse de Parme, puis donne deux enfants à Neipperg. En 1835, elle épouse le comte de Bombelles, son maître des cérémonies. Napoléon n'aura été qu'un épisode dans la vie de celle qui rejoindra en 1847, dans la crypte des Capucins à Vienne, les morts de son impériale maison. AG

■ Mémoires d'Empire

Avec une première vague de 1815 à 1840 et une seconde de 1880 à 1914, c'est la plus importante concentration mémorialiste de l'histoire de France. Le nombre des textes à la fois importants, authentiques et dignes de foi est cependant faible. Beaucoup de Mémoires militaires ne sont que des journaux de marche, utiles aux seuls spécialistes, ou des plagiats partiels d'ouvrages historiques. Certains Mémoires célèbres ne sont que des œuvres de « teinturiers » rédigées à partir de notes et de confessions. D'autres encore sont des plaidoyers *pro domo* ou des récits enjolivés par le souvenir. D'autres enfin sont de simples compilations de

Le comte Daru, général intendant de la maison de l'Empereur en 1804, ministre secrétaire d'État chargé de l'Administration de la guerre en 1811 par Antoine Jean Gros, 1813. H/t 216 × 142. Musée national du château de Versailles.

documents. *A contrario*, il manque les Mémoires d'acteurs importants. Il serait vain toutefois d'opposer les Mémoires aux archives, qui ne sont pas exemptes d'erreurs, volontaires ou non. Ainsi les fameux états de services des Archives de la guerre ont été parfois, après 1830, reconstitués sous la dictée des intéressés. Les Mémoires en tout cas « forment une source essentielle de l'histoire des mentalités » (J. Tulard) et les meilleurs sont irremplaçables : Coignet, Marbot, Parquin, pour leur style et l'art du récit ; Caulaincourt, Fain et Méneval pour leur intimité avec Napoléon ; Larrey et Percy pour le service de santé ; Mollien, Molé, Pasquier, Roederer, Thibaudeau pour l'administration* ; Gouvion Saint-Cyr et Suchet pour la stratégie* ; Ali, Bertrand, Gourgaud, Marchand pour Sainte*-Hélène. JJ

■ Ministres

Plutôt méprisés par les historiens, les ministres du Consulat* et de l'Empire méritent qu'on les redécouvre. Au premier rang de la hiérarchie administrative, ils sont en tout 32 titulaires d'un portefeuille à avoir travaillé sous les ordres de Napoléon, dans 12 départements ministériels : Secrétairerie impériale, Intérieur, Police, Justice, Finances, Trésor, Relations extérieures, Guerre, Administration de la guerre, Marine, Manufactures et commerce, Cultes.

Nommés et révoqués par le chef de l'État, ils lui sont soumis dans chaque acte de leur administration. On ne doit pas cependant négliger leur rôle dans le fonctionnement quotidien de leurs départements et dans la mise en œuvre des réformes décidées. Ils sont d'excellents exécutants, transformant en actions concrètes la pensée de leur maitre. Leur menant la vie dure, les tuant au labeur, Napoléon en fait d'ailleurs des dignitaires choyés et richement dotés.

Dans la liste des ministres de Napoléon, on relève les noms de quelques « vedettes » de l'époque (Talleyrand*, Fouché*, Carnot, Cambacérès*, Savary, Molé, Daru, Berthier), à côté de personnages aujourd'hui tombés dans l'oubli mais qui sont, dans leur secteur d'activité administrative, des piliers du régime, tels Abrial et Regnier (Justice), Gaudin (Finances), Portalis et Bigot de Préameneu (Cultes), Decrès (Marine), Montalivet et Cretet (Intérieur). TL

▮ Murat (Joachim)

Fils d'aubergiste, indomptable cavalier, maréchal, grand amiral et prince à la cour*, grand-duc de Berg et de Clèves, roi de Naples et de Sicile en 1808, Murat (1767-1815) a accompagné Napoléon tout au long de sa carrière. Il se distingue en Italie* en 1796, puis en Égypte*, et force le destin le 19 Brumaire* (« Citoyens vous êtes dissous, Tambour ! »). En 1800, il épouse Caroline Bonaparte* et se distingue en Italie, où il commande toute la cavalerie*. Cinq ans plus tard, il s'empare de Vienne. L'année suivante, il charge à Iéna, fait prisonnier un corps d'armée prussien, entre à Stettin, fait capituler Blücher et entre à Varsovie. Rien ne lui résiste. En 1807, il sauve la situation à

« Il n'était brave que devant l'ennemi. Alors, c'était probablement l'homme le plus brave du monde. »

Napoléon.

Eylau* et, en 1808, il réprime l'émeute à Madrid. Ses années de règne à Naples, où il manifeste esprit de réforme et souci d'indépendance, troublent ses relations avec Napoléon, qui fait appel à lui pour commander la cavalerie en Russie*. À la Moskova, il enlève la Grande

Portrait de Joachim Murat en uniforme de hussard par François Gérard, 1801. H/t 215 × 133. Musée national du château de Versailles.

Redoute. Il combat encore à Dresde et à Leipzig. Mais devant l'effondrement, il essaie de sauver son royaume, rêve à l'unification de l'Italie et traite avec les Autrichiens.

En mars 1815, à l'annonce du débarquement de l'île d'Elbe*, il déclare la guerre à l'Autriche (pour « l'indépendance et l'Italie »). D'abord vainqueur puis battu, il s'enfuit puis rentre en Italie où il est arrêté, condamné et fusillé le 13 octobre 1815. Ce jour-là, Napoléon fait voile vers Sainte*-Hélène. JJ

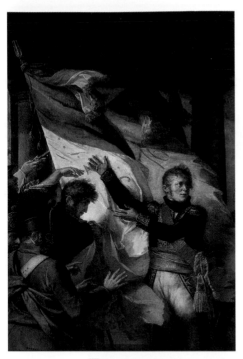

Le maréchal Ney remet aux soldats du 76ᵉ régiment de ligne leurs drapeaux retrouvés dans l'arsenal d'Innsbruck (détail) par Charles Meynier, 1808. Musée national du château de Versailles.

▦ Ney (Michel)

Le plus connu sans doute des maréchaux* par sa bravoure et sa fin tragique. Faire le coup de feu à pied, à l'arrière-garde pendant la retraite de Russie* et moins de trois ans plus tard, au retour de l'île d'Elbe*, promettre à Louis XVIII de ramener Napoléon « dans une cage de fer », c'est Ney, intrépide et tête folle, qui ralliera cependant l'Empereur, ce qui lui vaudra d'être condamné et fusillé à Paris le 7 décembre 1815.

« Il est comme un demi-dieu sur son cheval, un enfant quand il en descend », a dit de lui un de ses aides de camp. Né en 1769, maréchal à 35 ans, il remporte en octobre 1805 le combat d'Elchingen (il sera duc d'Elchingen), se comporte brillamment à Friedland*, triomphe à la Moskova (il sera prince de la Moskova), est le héros de la retraite de Russie. Mais, impulsif, il suit mal les instructions et se fâche régulièrement avec ses pairs. Il est en partie responsable de l'issue sanglante d'Eylau*. En Espagne*, en 1808, il arrive trop tard à Tuleda. Dans la marche vers Moscou, à Valoutina, il laisse écraser une division sans intervenir. En 1815 enfin, le 16 juin, il rate sa bataille contre les Anglais, et à Waterloo* conduit des attaques stupides et échevelées où il cherche à se faire tuer. Ces inconséquences et son mauvais caractère obligent Napoléon à ne l'employer que par périodes et à le placer en Espagne et au Portugal sous les ordres de Soult et de Masséna, ce qui entraîne conflits et manœuvres ratées. JJ

■ NOBLESSE
Nouvelle cour : des titres par milliers

Après l'institution de la Légion* d'honneur en 1802, Napoléon devenu empereur veut une cour et une noblesse nouvelles, susceptibles de canaliser les promotions sociales et de rallier les survivants de l'ancien système, celui d'avant la nuit du 4 août. Les Bonaparte* reçoivent les premiers titres et rangs. En 1808 seulement, Napoléon se décide à distribuer des titres de noblesse, oubliant toutefois de ressusciter vicomtes et marquis. 3 600 titres sont créés, dont moins de 200 sont encore portés aujourd'hui. La majeure partie sont pour des officiers, le reste pour des administrateurs ou des « capacités ».

On distingue ainsi une haute noblesse d'Empire (les ducs, souvent maréchaux* : Masséna duc de Rivoli, Soult duc de Dalmatie, Suchet duc d'Albufera, ou ministres : Fouché* duc d'Otrante, Gaudin duc de Gaète) d'une

■ Opéra

Napoléon aime l'opéra italien (et ses cantatrices), mais il a su encourager les théâtres lyriques de Paris* et susciter des succès « nationaux ». À Gluck, Piccinni ou Salieri qui ont fait les beaux jours du Paris du Directoire suc-

qui sera tant aimé à la génération romantique*, est joué dans des versions retouchées : un obscur compositeur nommé Lachnith « améliore » *La Flûte enchantée*. De nombreux concerts publics ont lieu à Paris et les imprimeurs de musique prospèrent, en parti-

La Place d'Alexandrie. Esquisse de décor pour *Les Amours d'Antoine et de Cléopâtre* par Jean Baptiste Isabey, 1808. Plume et sépia. Paris, bibliothèque de l'Opéra.

cèdent l'*Ossian* de Le Sueur (1804), les succès de Cherubini (*Médée*, 1797) ou de Méhul (*Joseph*, 1807), *La Vestale* de Spontini (1807), le grand opéra de l'Empire. Grétry reste populaire et les Parisiens applaudissent aux chefs-d'œuvre légers de Boieldieu (*Jean de Paris*, 1812). Paisiello dirige aux Tuileries la chapelle de l'Empereur. Mozart,

culier en province. Joséphine*, à Malmaison*, joue inlassablement le même air de harpe, la reine Hortense sa fille compose des romances à succès dont *Partant pour la Syrie*, archétype de la mélodie de style « troubadour ». Sur les champs de bataille, on fredonne *La Marche de la Garde consulaire* ou *La Marche des éclopés.* AG

noblesse incitée, par le système des majorats assurant la succession, à devenir terrienne. Les officiers généraux s'intitulent désormais baron Graindorge ou comte Hugo (« Mon père, ce héros… »). Les financiers, issus des puissantes familles de robe de l'Ancien Régime, comme Le Couteulx, qui avait financé Brumaire*, ou Perregaux, chambellan de l'Empereur, deviennent comtes ou barons. David* est fait chevalier, comme Denon* ; Chaptal et Monge sont anoblis. Certains grands noms de l'histoire de France (Montmorency, Montesquiou, Rohan-Chabot) acceptent des titres nouveaux : on se moque de ces « comtes refaits ». La fusion de l'ancienne noblesse et de la nouvelle n'a cependant pas lieu tout de suite. Proust encore met en scène la princesse de Guermantes qui ironise un peu sur les Iéna (famille imaginée par lui), « ces gens qui ont un nom de pont ». AG

■ PARIS

Paris a plus hérité du second que du premier Empire. Napoléon, guidant Percier et Fontaine* ses architectes, a voulu une politique de grands travaux et d'urbanisme qu'il n'aura pas le temps de mener à bien (le palais du roi* de Rome, projeté sur la colline de Chaillot, ne sera jamais construit). En 1815, au hasard des travaux empiriquement commencés, la ville a commencé à prendre la forme et la monumentalité souhaitée par Napoléon. Le Louvre est agrandi, la rue de Rivoli percée, la cour du Carrousel dégagée des maisons qui l'encombraient. Le palais des Tuileries, résidence impériale, finit incendié par les communards en 1871. Le petit arc de triomphe dédié à la Grande* Armée, et qui s'orne de statues de simples soldats, est surmonté désormais d'un quadrige symbolisant la Restauration. Sous l'Empire, on y installe les chevaux de Saint-Marc pris à Venise et, lors des revues, les tambours-majors rivalisent d'habileté

Paris, portique égyptien de l'hôtel de Beauharnais, attribué à Jean Augustin Renard, 1807.

pour lancer leurs cannes sous la voûte. Les colonnes de la Madeleine répondent à la façade du Palais-Bourbon. Le marché Saint-Germain, hélas très remanié, témoigne mal du Paris populaire peint par Boilly. La fontaine du Châtelet, celle « du Fellah » rue de Sèvres, l'entrée de l'hôtel de Beauharnais (actuelle ambassade d'Allemagne) témoignent du style* « retour d'Égypte ». La colonne Vendôme a été conçue par Denon* sur le modèle de la colonne Trajane de Rome, fondue dans le bronze des canons pris à l'ennemi lors de la campagne d'Austerlitz*. Au sommet, un Napoléon en empereur romain, œuvre de Chaudet, montre au monde les traits idéalisés du vainqueur. Sous Louis-Philippe, on mettra à cette place un *Napoléon* de Seurre en redingote* et petit chapeau : l'Empereur de la légende*. L'Arc de triomphe de l'Étoile, modélisé en grandeur naturelle pour l'entrée de Marie*-Louise dans la capitale, a été achevé de même après 1830. AG

Anne Louis
Girodet,
Le Déluge, 1806.
H/t 431 × 341.
Paris, musée
du Louvre.

■ **Peinture**

La peinture impériale est d'abord au service de la propagande* : les peintres d'histoire réécrivent l'histoire (David* avec *Le Sacre**, Gros avec *La Bataille d'Eylau**). Les portraits de la nouvelle société se multiplient. Gérard y excelle avec grâce. Isabey, Lefèvre, Rouget font face à une importante demande de la nouvelle noblesse* qui a besoin de « portraits de famille ». Prud'hon ressuscite le style du Corrège qui plaît tant à Stendhal. Gros revient à Rubens, à la fougue et aux mêlées héroïques. David, chef d'école, réunit dans son atelier tous les jeunes talents européens, Denon* veille aux grands sujets traités, parfois avec raideur (Hennequin, Regnault). Boilly et Drolling peignent la vie quotidienne. Le public des Salons, expositions officielles, s'extasie devant les grands chefs-d'œuvre de la nouvelle école française : *Le Déluge* de Girodet (1806) en est le meilleur exemple. Géricault, élève de Guérin, surprend en 1812 avec l'*Officier de chasseurs* (ill. p. 41), qui n'est ni un portrait d'homme illustre ni une scène de bataille. Le romantisme* débute. Une nouvelle génération, dont Ingres fait alors partie, cherche à se démarquer de l'héritage davidien. La vogue des sujets médiévaux d'une sentimentalité chevaleresque, avec Révoil et Richard notamment, naît, encouragée par Joséphine* : le goût pour les « antiquités nationales » tend à concurrencer le goût pour l'Antiquité, renforcé toutefois par la présence à Paris des pièces les plus connues de la statuaire romaine. AG

■ Poésie

Depuis un cours de Bernard Jullien (1844), on parle assez peu de la poésie impériale. Qui se souvient de Parseval-Grandmaison ou de Luce de Lancival ? Dès 1808, Marie-Joseph de Chénier* répertorie épopées, poésies didactiques, poésies lyriques. L'Empire voit fleurir l'épopée, qui fait l'objet de théories nouvelles sur la spécificité du langage poétique. Elle adopte l'esthétique de Voltaire ou adapte Ossian, quand elle ne se contente pas de traduire Homère, Virgile et Milton (Delille) ou le Tasse (Baour-Lormian). Outre les chantres du passé chevaleresque (Creuzé de Lesser, Marchangy), un Népomucène Lemercier, par ailleurs homme de théâtre*, donne le meilleur avec *Les Âges français* (1803) et *L'Atlantiade ou Théogonie newtonienne* (1812). Le genre didactique est illustré par *Le Génie de l'homme* (1807) de Chênedollé et par Delille (*Les Trois Règnes de la nature*, 1808), vétéran du Parnasse et maître de la poésie descriptive, que servent Campenon et bien d'autres. Après la mort de Lebrun-Pindare et de Parny, la postérité ne retiendra pas les odes lyriques de Chênedollé, de Pierre Antoine Lebrun, spécialiste des pièces de circonstance, ou de Legouvé, auteur du célèbre *Mérite des femmes* (1804). L'avenir est du côté des *Élégies* (1811) de Millevoye, représentant du premier romantisme* qui annonce les *Méditations* de Lamartine, et du côté de Béranger. GG

Paulin Duqueylar, *Ossian chantant l'hymne funèbre d'une jeune fille*, 1800. H/t 273 × 300. Aix-en-Provence, musée Granet.

*Au puissant
Empereur qui
du sein des ruines
fait renaître
les lois, les mœurs,
les triomphes
et les arts.*
Gravure de
Charles Nicolas
Lemercier, 1810.

■ PROPAGANDE
De l'Aigle à l'Ogre

Très tôt, Bonaparte travaille, par la propagande, à sa gloire. Les moyens principaux en sont l'utilisation rationnelle de la presse (*Le Moniteur* est la source autorisée, *La Gazette de France* et *Le Journal de Paris* répercutent), des bulletins de la Grande* Armée : l'opinion doit être convaincue, tableaux et estampes à l'appui, que Bonaparte n'a pas fait empoisonner les pestiférés de Jaffa, qu'il a fait exécuter, en la personne du duc d'Enghien*, un dangereux traître, qu'il ne pouvait éviter le charnier d'Eylau*. Napoléon est l'être providentiel, le sauveur du pays. Le catéchisme impérial l'apprend aux enfants. Chateaubriand*, qui a osé écrire : « C'est en vain que Néron prospère, Tacite est déjà né dans l'Empire », convoquant indirectement l'Empereur au tribunal de l'Histoire, est banni de Paris par un Napoléon en rage.

Au puissant Empereur qui du sein des ruines fait renaître les lois, les mœurs, les triomphes et les arts. Gravure de Charles Nicolas Lemercier, 1810.

En Suisse, à Coppet, Mme de Staël* regroupe l'opposition intellectuelle. En Angleterre*, la réponse des dessinateurs connaît un grand écho populaire ; Gillray, Rowlandson, Cruikshank et Woodward caricaturent avec beaucoup de talent l'Ogre de Corse*, général émacié et sanguinaire devenu monarque adipeux et perdu de vices. Les plus virulentes charges circulent en Europe. La légende* napoléonienne est née aussi en réaction contre ce type d'images dont la police impériale avait évidemment connaissance. AG

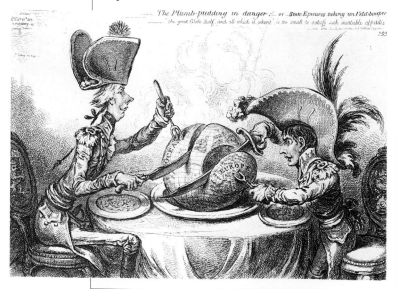

Bonaparte franchissant les Alpes par Paul Delaroche, 1848. H/t 289 × 222. Paris, musée du Louvre.

■ Redingote

Napoléon sait que la popularité d'Henri IV reposait en partie sur sa vêture simple, contrastant avec le luxe de sa cour : bannissant vite les plumes de l'uniforme* de général du Directoire et les galons d'or de l'uniforme rouge de Premier consul, dont témoigne un célèbre portrait d'Ingres (1804, Liège), il adopte un costume simple, au milieu de maréchaux* en grande tenue. Murat*, réputé pour ses uniformes extravagants (voir son portrait par Gros, 1812, Louvre), offre près de lui un beau contraste. L'uniforme d'officier de chasseurs, sous lequel dépasse le cordon de la Légion* d'honneur, la croix de l'Ordre et la couronne de fer du royaume d'Italie comme seules décorations, suffit à la légende* de Napoléon. Il ajoute, en campagne, une redingote grise inspirée de l'habillement civil, pour son caractère pratique. Les chanson de Béranger, sous la Restauration, les tableaux de Delaroche, Meissonier ou Detaille ont popularisé cet accessoire glorieux dont on conserve un exemplaire au musée de l'Armée des Invalides*, ainsi que le mythique petit chapeau de feutre noir ou de castor que lui fournissait Poupart. On en dénombre aujourd'hui une quantité considérable, reliques vénérées dans le monde entier : Napoléon semble s'en être fait faire une douzaine, qu'il payait 48 francs, dont il avait grand soin et qu'il faisait réparer. AG

Le Plum-Pudding en danger ou *Le Vaste Globe est lui-même trop petit pour satisfaire un aussi formidable appétit.* Gravure satirique de James Gillray, 1805.

Révolution

Le régime napoléonien est l'héritier et le continuateur de la Révolution française, au moins jusqu'aux années 1807-1808. En politique étrangère, d'ailleurs, jamais les ennemis de la Révolution n'ont considéré que Brumaire* avait changé la nature du gouvernement de la France et, jusqu'à la guerre d'Espagne*, Napoléon devra faire face à des coalitions filles de celles commencées en 1792. En politique intérieure, les brumairiens sont des républicains et les problèmes qu'il faut résoudre sont tous issus de la grande secousse commencée en 1789. Lui-même fils de la Révolution, Napoléon veut conserver les acquis des dix dernières années et aucune des grandes mesures prises n'est indépendante de ce qui a précédé. Le régime s'étant affermi, sa nature « révolutionnaire » s'estompe ensuite jusqu'à être engloutie à l'apogée de l'Empire. La suppression du Tribunat (1807), l'effacement de la référence à la République sur les pièces de monnaie (1808), le régime de censure* ou les prisons d'État (1810), la création de la noblesse* d'Empire (1808) en sont des signes marquants. À compter de cette époque, Napoléon est un souverain absolu et sans opposition officielle. Si les idées révolutionnaires sont appelées à la rescousse lors des Cent*-Jours, c'est par opportunisme et nécessité. Si le « libéralisme » de Napoléon est proclamé par le *Mémorial de Sainte-Hélène* de Las Cases, c'est pour permettre l'envol de la légende*. TL

Roi de Rome

Titré roi de Rome, Napoléon II (1811-1832), fils de Napoléon et de Marie*-Louise, est une victime de l'histoire. Il devra attendre Edmond Rostand, et Sarah Bernhardt interprète de *L'Aiglon* (1900), pour être populaire. Inconnu des Français dans son enfance, élevé par sa gouvernante Mme de Montesquiou (« Maman Quiou »), héritier présomptif lors de la première abdication de Fontainebleau* et après Waterloo*, il grandit en fait comme un archiduc d'Autriche, portant le titre de duc de Reichstadt. Il joue aux soldats de plomb, parade en uniforme blanc. Le bonapartisme* répand des estampes à son effigie. Mais il n'entre pas

Aigle dit du berceau du roi de Rome par Pierre Paul Prud'hon, 1811. Crayons noir et blanc sur papier bleu 32 × 44 cm. Paris, musée Marmottan.

dans les plans de Metternich de lui voir jouer un quelconque rôle politique. Sa mère, Marie-Louise, vit à Parme et le néglige, lui à Schönbrunn, près de Vienne, dans des appartements que l'on peut encore visiter, non loin de son impérial aïeul François. Le souci de le marier ne viendra même pas : le jeune homme, atteint de tuberculose, meurt le 22 juillet 1832. En décembre 1940, Pétain ayant refusé de se déplacer, c'est l'amiral Darlan qui accueillera

aux Invalides*, sous une tempête de neige, la dépouille de l'Aiglon que le chancelier Hitler restitue à la France envahie. Elle s'y trouve toujours, non loin du tombeau de Napoléon. Chaque année, à l'anniversaire de sa disparition, un élève d'une école militaire joue, dans la crypte, la sonnerie aux morts. AG

Berceau du roi de Rome par Thomire-Duterne et Cⁱᵉ. Orme et bronze doré. Fontainebleau, musée Napoléon Iᵉʳ.

■ ROMANTISME
Le moi et le mal de vivre

Les années 1800 jouent un rôle décisif dans la constitution du romantisme français. On parle d'ailleurs aujourd'hui de premier romantisme et non plus de préromantisme. Sur le plan théorique, Mᵐᵉ de Staël* relie la littérature à la nation (*De la littérature*, 1800) et fait connaître le romantisme allemand (*De l'Allemagne*, 1814). Comme le montrent les *Élégies* de Millevoye (1811), la poésie* traite déjà des thèmes qu'amplifiera la génération de 1820, et l'immense succès de la traduction des poèmes attribués au barde Ossian (écrites en fait par l'Écossais Macpherson en 1760), dont Napoléon ne se sépare jamais, prépare le terrain. L'écriture intime se développe (Joubert, Maine de Biran, Benjamin Constant, Stendhal).

Dans *Oberman* (1804), Senancour donne la parole à un personnage vide, errant, incertain, voué à la rêverie. Ce martyr d'une intériorité douloureuse inaugure la lignée des héros romantiques et précède le *René* (1805) de Chateaubriand*.

Le roman connaît une grande expansion, avec des romancières comme

Mᵐᵉ Cottin ou Mᵐᵉ de Genlis. D'abord connu par les traductions de l'anglais, le roman noir trouve un public sans cesse plus nombreux et, pour le théâtre*, Pixérécourt adapte Ducray-Duminil pour ses mélodrames. Le romantisme des années 1820 se nourrira de tout cela, mais s'incorporera la légende* napoléonienne et s'organisera autour de deux pôles : le moi et le mal de vivre, tous deux conditionnés par l'expérience de la Révolution* et de l'Empire. GG

Pierre Auguste Vafflard, *Young et sa fille morte*, 1804. H/t 242 × 194. Angoulême, musée des Beaux-Arts.

Villa Paolina.
Aquarelle
d'Alessandro
Castelli, 1835.
Rome, Museo
Napoleonico.

Rome

Le concordat signé le 16 juillet 1801 entre la France et le pape Pie VII, récemment élu, garantit l'intégrité des États pontificaux. Le pontife bénit le sacre* à Paris, en 1804, mais très vite les relations entre les deux puissances se dégradent : Pie VII refuse de faire appliquer la politique du Blocus* continental dans ses États. En février 1808, les Français entrent dans Rome ; Urbino et Ancône passent sous le contrôle de Napoléon, roi d'Italie*. Rome en 1809 est proclamée deuxième ville de l'Empire. Le pape est emprisonné. Reclus à Savone puis à Fontainebleau*, il laisse les Français gouverner Rome et nargue Napoléon : « *Comediante, tragediante* ». Le comte de Tournon, préfet du Tibre, encourage la vie artistique et littéraire. Rome s'embellit : le creuset du néoclassicisme européen a toute légitimité pour devenir la seconde capitale du style* Empire.

Aujourd'hui, au bord du Tibre, le Museo Napoleonico évoque cette Italie unifiée. On y voit la collection du comte Primoli, qui descendait d'un côté de Joseph et de l'autre de Lucien Bonaparte* : portraits, estampes, objets provenant de la collection du comte Prokesch, ami du roi* de Rome… De nombreux souvenirs témoignent également de la vie des Bonaparte après 1815. AG

Roustam (Raza)

Pour la postérité, Roustam (1782-1845) incarne cette cohorte de fidèles mamelouks, venus d'Égypte, qui constituèrent pour Napoléon une insolite et fière garde d'honneur.

Portrait de Raza Roustam.
Gravure d'après Dominique Vivant Denon, 1830.
Paris, fondation Dosne-Thiers.

D'abord valet* de chambre, Roustam est incorporé en 1802 dans le corps des mamelouks. Attaché à la personne de l'Empereur, il couche devant sa porte. La propagande* anglaise en fait un monstre, exécuteur des basses œuvres de son maître et pourvoyeur de ses plaisirs. Ses tenues emplumées et ses turbans font la joie des Parisiens. Les peintres de l'Empire et les artistes de la légende* napoléonienne ont beaucoup figuré l'exotique silhouette de Roustam. Tous s'inspirent, pour la corpulence et la tenue extravagante, d'un portrait conservé au musée de l'Armée des Invalides* et naguère attribué à Gros. Brave homme, n'aspirant qu'à devenir rentier, Roustam n'a pas la vocation du malheur : le séjour de Sainte*-Hélène ne le tente pas. Il obtiendra de Louis-Philippe une place à la poste de Dourdan et assistera au retour des cendres. AG

■ Russie

La guerre d'Espagne* a usé l'armée, la campagne de Russie l'a détruite. Les conditions de son déroulement sont nouvelles : espace immense, climat

La Retraite de Russie par Théodore Géricault (1791-1824). Dessin. Rouen, musée des Beaux-Arts.

très dur, pays sans ressources qui interdit de s'y approvisionner, et des forces considérables (550 000 Français et alliés) face à un ennemi qui se défile parce qu'il joue de ces difficultés. Ayant passé le Niémen du 23 au 30 juin 1812, date tardive dans la saison, Napoléon tombe dans le vide, ne parvenant pas à accrocher l'ennemi, encore moins à l'envelopper. La manœuvre de Vilna échoue, la poursuite continue.

Le 25 juillet, l'arrière-garde russe est accrochée et culbutée, mais Barclay de Tolly décroche et la deuxième bataille espérée devant Vitebsk n'a pas lieu. Nouvel accrochage à Krasnoë le 14 août et nouveau décrochage des Russes qui incendient Smolensk.

Le nouveau commandant russe Koutouzov, sommé par le tsar, accepte enfin le combat à la Moskova le 3 septembre : 50 000 Russes et 30 000 Français hors de combat, huit généraux tués, Napoléon n'a pas voulu engager la Garde*, les Russes peuvent retraiter. Victoire sanglante et non décisive. Moscou enfin occupé est incendié sur ordre du gouverneur russe, le tsar a constitué des armées de renforts et refuse de signer la paix. Napoléon n'a plus d'autre choix que de se retirer, ne voulant pas prendre ses quartiers d'hiver dans une région sans ressources. Du 18 octobre au 13 décembre, ce sera la tragique retraite. L'armée, encore impressionnante au début (100 000 hommes et plus de 500 canons), suivie par un flot de traînards et de voitures chargées de butin, fondra sous le froid, la faim et les harcèlements des Russes qui suivent à distance. Quelques milliers d'hommes en armes repasseront le

Niémen. Le 5 décembre, Napoléon a quitté l'armée : les mauvaises réactions à cet échec et la situation politique exigent sa présence à Paris. JJ

■ Sacre

Le sacre (consécration du souverain par l'Église) et le couronnement (acte de lui remettre la couronne) de Napoléon ont lieu à Notre-Dame de Paris, le 2 décembre 1804. Dès la proclamation de l'Empire, le 18 mai, Napoléon a souhaité cette cérémonie fastueuse qu'il veut différente du sacre des rois. Il souhaite que le pape y parti-

cipe, et non un évêque. Il en fixe le lieu à Paris. Le déroulement du sacre confirme les limites fixées à la consécration religieuse : Napoléon se couronne lui-même, tandis que Pie VII se contente des onctions, des bénédictions et d'une accolade au nouvel empereur. Puis Napoléon couronne Joséphine*. Enfin, le pape s'étant retiré, on passe à la partie civile de la cérémonie. Napoléon prononce le serment : il s'engage à défendre l'intégrité du territoire, à faire respecter l'égalité des droits, la liberté civile et de culte, le droit de propriété et la vente des biens nationaux.

C'est donc par le rappel des acquis de la Révolution* que s'achève le sacre. De toute façon, Napoléon ne tient pas sa légitimité* de la cérémonie du 2 décembre. Elle a une source « matérielle » (Brumaire*), parlementaire (proclamation par les Chambres) et une onction populaire (approbation par le plébiscite de juillet 1804). Partant, la proclamation de l'Empire et les différentes étapes qui suivent pourraient apparaître paradoxalement comme le triomphe des idées de 1789. TL

Le Couronnement de l'impératrice ou *Le Sacre* par Jacques Louis David, 1804-1807. H/t 629 × 979. Paris, musée du Louvre.

■ SAINTE-HÉLENE

« Sainte-Hélène, petite île », écrivait sur ses cahiers Napoléon Bonaparte collégien à Brienne*. Possession anglaise dans l'Atlantique sud, sous un climat étouffant, le site (10 km sur 17) est bien éloigné du petit paradis qu'est l'île d'Elbe*. Napoléon y débarque après une traversée effectuée sur le *Northumberland*, le 17 octobre 1815 : « Ce n'est pas un joli séjour », constate-t-il. Sa demeure, Longwood House, petite et mal conçue, abritera les dernières années de sa vie durant lesquelles, grossi et malade, il se promène en costume et chapeau de jardinier sous l'œil de ses gardiens, officiers britanniques. Les compagnons du malheur sont, autour de lui, le comte Bertrand et sa famille, le général de Montholon, ancien chambellan de Joséphine*, avec femme et enfant, le baron Gourgaud, héros de la campagne de Russie*, fait général à Waterloo*. S'adjoint à eux le comte Emmanuel de Las Cases, qui rédige sous la dictée de Napoléon le *Mémorial de Sainte-Hélène*, immense succès à sa

Île de Sainte-Hélène, résidence de Longwood.

parution en 1823, fondement de la légende* napoléonienne. Celui que les Anglais affectent de ne nommer que « le général Bonaparte » instaure une vie de cour où l'ennui n'est dissipé que par des promenades et des lectures. À partir de 1816, Sir Hudson Lowe devient gouverneur de l'île et applique des consignes de plus en plus rigoureuses. Les fidèles regagnent peu à peu la France, à quelques exceptions près. La maladie de l'estomac qui vraisemblablement tourmente Napoléon depuis longtemps fait des progrès rapides. L'Empereur s'éteint le 5 mai 1821. Son médecin, Antommarchi, effectue un moulage de son visage qui a repris la maigreur des temps héroïques. Sa dépouille est inhumée dans la « vallée du Géranium », où elle reposera jusqu'au retour des cendres de 1840 et la translation aux Invalides*. Depuis 1858, la maison et la vallée sont terres françaises. Un consul honoraire y fait fonction de conservateur ; on visite le site qui a à peu près retrouvé son état de 1821. AG

■ Staël (Mme de)

Ballottée au rythme de l'Histoire, Germaine Necker, baronne de Staël-Holstein (1766-1817), est en 1800 une figure confirmée, connue par sa position sociale et ses activités politiques sous la Révolution*.

Portrait de Germaine de Staël en Corinne au cap Misène par Élisabeth Vigée-Lebrun, 1809. H/t 140 × 118. Genève, musée d'Art et d'Histoire.

Lit bateau, époque Empire. Acajou et bronze doré. Paris, musée des Arts décoratifs.

Avec *De la littérature*, elle propose une histoire littéraire fondée sur la contextualisation historique et sociale et sur la notion de perfectibilité. En 1803, notamment à cause de son roman *Delphine* (1802) qui dénonce la condition féminine, elle est chassée de Paris, où son salon était fort prisé. Suivra *Corinne* (1807). En exilant cette « virago enturbannée », femme de tête qui séduit son entourage, Napoléon consacre l'opposante infatigable, mais aussi l'un des hauts lieux de la pensée européenne et du cosmopolitisme littéraire : Coppet, château des Necker sur les bords du lac Léman. Les participants viennent des horizons les plus divers : Sismondi, économiste et historien, August Wilhelm von Schlegel, écrivain et théoricien du romantisme

allemand, l'historien Barante, Benjamin Constant, l'écrivain Bonstetten... Les idées de Mme de Staël circulent partout et donnent lieu à un livre fondamental, *De l'Allemagne* (1810), longtemps interdit en France. Traductions, discussions, échanges : le groupe de Coppet devient un centre de l'opposition anti-napoléonienne (tout en rejetant l'Ancien Régime), salue l'éveil des nationalités, développe la pensée libérale et repense toute la littérature. GG

■ Stratégie

Certains historiens militaires ont voulu voir la stratégie napoléonienne comme un système génial élaboré par un dieu de la guerre. Il n'en est rien. Napoléon n'a pas de système, « il a une manière » (J. Garnier). Certes, il a des principes : l'offensive pour la recherche de la bataille décisive qui détruira les forces de l'adversaire, et la manœuvre pour se trouver au bon moment le plus fort sur un point donné, en ayant réservé le minimum de moyens aux opérations accessoires. Mais, par « la réflexion et la méditation » (Napoléon), il envisage toutes les solutions possibles, en privilégie une, toujours prêt cependant à modifier ses plans si la situation évolue. Même Austerlitz*, longuement préparé, a connu des changements en cours de journée. Dans l'exécution, il a deux préférences : la manœuvre sur les arrières de l'ennemi pour l'écraser d'un coup quand il a la supériorité (Friedland*) ; quand il n'a pas la supériorité, il manœuvre sur sa position centrale pour battre les forces ennemies séparément et, quand c'est impossible, il se met en attente stratégique

(Rivoli, en Italie*) pour saisir l'occasion de la division espérée. Le succès exige la vitesse dans l'analyse et la décision sur le terrain, facilitée par l'étude préalable, dans les mouvements de troupes avant et pendant la bataille. La stratégie de Napoléon est à l'image de sa vie : toute de rapidité. JJ

◼ Style Empire

Percier et Fontaine* ont fourni des modèles, Denon* a donné beaucoup d'idées : le style Empire est une création collective, dans la lignée du style Louis XVI et des modes du Directoire. Les meubles empruntent aux immeubles rigueur de la ligne, ornementation militaire (boucliers, faisceaux, casques). Les grandes dynasties d'ébénistes (Jacob, Séné) travaillent dans le goût antique ou égyptisant. Les bronzes de Thomire, les pièces d'orfèvrerie de Biennais, Auguste ou Odiot utilisent des formes antiquisantes ou, souvenirs de la campagne d'Égypte*, sphinx, obélisques et hiéroglyphes. On tapisse de soies très vives, d'indiennes, de toiles de Jouy. Les papiers peints montrent des paysages ou racontent les campagnes victorieuses. Cette cohérence d'un style, perceptible jusque dans l'habillement, répond à des nécessités économiques (Napoléon encourage le luxe des toilettes féminines, les bijoux, la

François Gérard, *Portrait de Madame Récamier*, 1805. H/t 225 × 148. Paris, musée Carnavalet.

mode des « shalls » de grand prix...) et aussi à des nécessités politiques : le goût français doit pouvoir étendre son empire à l'Europe*, alliée ou ennemie. Pourtant, le costume masculin s'anglicise, acquiert une sobriété qu'il n'avait pas sous le Directoire, alors que les robes à taille haute conquièrent le monde. On lit partout *Le Journal des dames et de la mode* de La Mésangère. Le style Empire est une machine de guerre pour relancer l'industrie*, exalter les vertus de la nation et assurer son hégémonie. AG

■ SYMBOLIQUE : L'AIGLE ET L'ABEILLE

Dans l'héraldique napoléonienne, deux figures animales symbolisent l'Empire : l'aigle et l'abeille. Leur adoption ne se fait pas facilement. Vivant Denon* et Cambacérès* jouent un rôle essentiel dans les choix officialisés par un décret du 10 juillet 1804.

Pour le choix de l'aigle, la bataille est serrée. On propose successivement à l'Empereur de retenir un lion, un éléphant, voire… la fleur de lys, emblème de la France et non des Bourbons. Le Conseil* d'État se prononce, quant à lui, pour le coq. Dans un premier temps, Napoléon est tenté par « un lion, représenté sur la carte de France avec sa patte prête à défendre la rive gauche du Rhin ». Finalement, il opte pour l'aigle, figure inspirée de Rome mais rappelant Charlemagne qui l'utilisa aussi. L'aigle impériale doit être représentée « à l'antique », les ailes légèrement déployées, la tête tournée vers sa gauche. Elle figure sur les sceaux, actes et papiers officiels, les bâtiments, les costumes de dignitaires et sur les hampes des drapeaux des régiments. Dans ce dernier cas, elle tient un faisceau de Jupiter (sans éclair) dans sa serre gauche. Ces règles ne sont pas toujours respectées. L'abeille est adoptée comme « appoint » de l'aigle. Cambacérès fait valoir aussi bien le caractère travailleur de l'insecte communautaire que le fait que les Mérovingiens l'utilisaient déjà (les bijoux découverts en 1653 à Tournai dans la tombe de Childéric, père de Clovis, étaient en réalité des cigales). TL

Aigle de hampe de drapeau de Louis Thomire (1757-1838), d'après Antoine Denis Chaudet. Bronze doré, 245 × 250. Musées de l'île d'Aix.

Abeille de bronze doré ayant servi à décorer Notre-Dame lors du sacre de Napoléon Ier. Paris, musée de l'Armée.

■ Talleyrand (Charles Maurice de)

Ses bons mots ne doivent pas faire oublier que Charles Maurice de Talleyrand-Périgord (1754-1838) fut un homme sans scrupules, ni fidélité envers ceux qu'il servit. C'est ce qui explique la longévité politique de cet ancien évêque, défroqué pendant la Révolution*.

En 1799, Talleyrand est un des organisateurs de Brumaire*. Bonaparte lui rend le portefeuille des Relations extérieures dont le Directoire l'a privé quelques mois plus tôt. Il devient à la fois chef de la diplomatie et proche conseiller du Premier consul. Il participe aux négociations des traités de Lunéville, d'Amiens et du Concordat*, est associé à toutes les grandes décisions. Avec

l'Empire, il conserve son portefeuille et empile les titres, donations et trafics, ce qui en fait un des hommes les plus riches de son époque. Lassé de lui, Napoléon lui retire son ministère en août 1807. Convaincu que l'Empire a peu de chances de durer, Talleyrand trahit Napoléon à partir de l'entrevue d'Erfurt (1808), conseillant au tsar de tenir tête à son maître. C'est encore Talleyrand qui fomente la déchéance de Napoléon et le retour des Bourbons, en 1814.

Envoyé par Louis XVIII au congrès de Vienne, il pousse les puissances européennes à lutter à outrance contre l'Empereur, lors des Cent*-Jours. Président du Conseil (1815), membre de la Chambre des pairs, celui que Napoléon avait fait prince de Bénévent terminera sa carrière comme ambassadeur de France à Londres. TL

Portrait de Talma en Néron dans Britannicus par Eugène Delacroix, 1852-1853. H/t 92 × 73. Paris, Comédie française.

■ Théâtre

Soumis à la censure*, le répertoire dramatique est codifié selon les salles parisiennes : dix-sept en 1803, huit en 1807 (Théâtre-Français, Odéon, Opéra, Opéra-Comique, Vaudeville, Ambigu-Comique, Gaîté, Variétés). Genre favori de Napoléon, la tragédie domine à la Comédie-Française, réformée par le décret dit de Moscou (1812). Citons Arnault et Raynouard (*Les Templiers*, 1805). Les salles subventionnées jouent aussi la comédie : Étienne, Duval, Picard et Népomucène Lemercier, maître de la comédie historique à couleur locale (*Pinto*, 1800). Le théâtre populaire est le plus fécond. Grâce à Potier, acteur comique aux Variétés, et aux pièces de Désaugiers, le vaudeville l'emporte dans les petits théâtres. Rouverte en 1809, la Porte-Saint-Martin accueille pièces à grand spectacle et féeries. Spécialité de l'Ambigu-Comique, le mélodrame fascine les foules : *La Pie voleuse* (1815) de Caigniez, les

chefs-d'œuvre de Pixérécourt (*Coelina ou l'Enfant du mystère*, 1800). Plus que les œuvres, les acteurs dominent la période : Mlle Duchesnois, Mlle George et Mlle Mars, Lafon, Baptiste aîné et surtout Talma, interprète des tragiques comme M.-J. de Chénier*, couvert de gloire et d'honneurs, ami de l'Empereur depuis 1792. Apôtre du naturel et de la vérité du jeu tragique, il l'avait révolutionné dans les années 1790 par l'art de la diction, du geste et du costume conforme à l'époque de l'action. GG

■ Toulon

De nombreux généraux de la Révolution* ont dû leur grade à des succès locaux. Ainsi de Bonaparte à Toulon. Le port méditerranéen est à la fois un arsenal, un port de guerre et un bagne ; et à l'été 1792, Toulon est jacobin. Quelques massacres mais bientôt le calme revient, le club jacobin est dissous, les sections peuplées d'anciens notables reprennent le pouvoir.

Portrait de Talleyrand par Pierre Paul Prud'hon, 1807. Paris, musée Carnavalet.

« Fédéraliste et patriote à l'origine, le mouvement tourne au royalisme » (É. Constant). L'escadre est désarmée, les forces anglaises pénètrent dans la ville et, le 12 septembre 1793, le drapeau blanc est arboré. La Convention, jusque-là occupée par la révolte de Marseille, décide d'agir et envoie une équipe de représentants en mission. Le capitaine Bonaparte a été attaché au général Carteaux. L'un des représentants, Salicetti, qui est son ami, le fait désigner pour commander l'artillerie* et nommer chef de bataillon. Carteaux renvoyé, tout comme son successeur Doppet, le général Dugommier prend le commandement du siège et accepte le plan d'attaque de Napoléon : au lieu de tirer hors de portée comme le faisait Carteaux, il faut s'emparer des promontoires qui commandent la rade et menacer la flotte anglaise. Après un furieux combat, le fort de l'Éguillette est enlevé le 18 novembre. L'amiral Sidney Smith lève l'ancre sur-le-champ. Napoléon est promu, le 22 décembre, général à titre provisoire. Le 6 février 1794, il est général à titre définitif. JJ

Le Siège de Toulon à 6 h du matin, le 19 novembre 1794 par Sigismond Himely (d'après un dessin fait sur place par le commandant Genêt), Salon de 1839. Aquarelle 74 × 108. Musée national du château de Versailles.

Trafalgar

Six semaines avant Austerlitz*, Trafalgar (21 octobre 1805) symbolise l'échec de Napoléon face à la marine britannique. Napoléon est un terrien et la mer lui est étrangère : les flots et le vent sont imprévisibles, les manœuvres sont lentes et incertaines, les vaisseaux longs à construire, les personnels difficiles à former. Or la Révolution* a mis gravement à mal les uns et les autres. En voulant disperser les escadres anglaises par des diversions aux Antilles et dans l'océan Indien pour préparer un débarquement, Napoléon a oublié que jamais la Navy n'abandonne la garde du territoire national. Furieux, il ordonne à la flotte franco-espagnole commandée par Villeneuve de quitter l'abri de Cadix et d'attaquer : Nelson l'attend et le défait, en y laissant la vie. Les Français perdent 13 vaisseaux sur 18 et 3 400 hommes. D'autres désastres suivront en 1806 et 1809. Il ne reste plus à Napoléon que la guerre de course pratiquée par des escadres légères avec un certain succès dans l'océan Indien et la course

privée avec des chefs comme Surcouf appuyées sur les ports des colonies*. Les prises, d'abord importantes, diminueront après 1810, 2 700 marins seront capturés et 450 navires détruits, et le commerce britannique n'en sera pas sérieusement atteint. Napoléon voudra cependant reconstituer une marine : l'effort est considérable mais, faute de temps, de matériaux et de bons professionnels, le résultat sera médiocre. JJ

■ Uniforme

L'uniformologie du premier Empire est un domaine immense, popularisé par la peinture* et la gravure. Le règlement de 1786 est à la base de l'habillement qui évolue par dispositions ponctuelles, surtout pour les emblèmes, pour aboutir tardivement au nouveau règlement de 1812. Le public a donc retenu quelques pièces d'uniformes spectaculaires. Le chapeau des officiers est l'ancien tricorne qui a perdu sa pointe de devant et dont les deux autres se sont relevées. Le shako, tronconique, évasé vers le haut, est la coiffure la plus répandue dans l'infanterie. Le bonnet à poil d'ourson (souvent de chèvre), haut de 35 cm, est réservé aux unités d'élite à pied. La cavalerie* légère porte le colback (bonnet à poil bas), la grosse est le casque. Les fantassins se chaussent de souliers bas et de guêtres, les cavaliers de bottes dont on compte huit sortes. L'habit à basque est à la française et recouvre le gilet, la capote recouvre le tout, la culotte est généralisée. Les cavaliers portent en route le pantalon dit « de fatigue » par-dessus la culotte et les bottes, et le manteau très ample, à rotonde (petite cape). La couleur domi-

nante est le bleu impérial pour l'habit, le blanc pour la culotte, le gris pour le manteau, le beige pour la capote, les guêtres sont grises ou noires pour la parade. Sans oublier le dolman à la hongroise des hussards et chasseurs de la Garde*, la chapska, coiffure des Polonais, les uniformes rutilants des aides de camp des maréchaux* et ceux des mamelouks*. Quant aux grognards*, ils s'habillent comme ils peuvent… JJ

Chasseur à cheval par Ernest Meissonier (1815-1891). H/b 21,6 × 15,2. New York, Forbes Magazine Collection.

■ Université impériale

Créée par la loi du 10 mai 1806 entrée en vigueur deux ans plus tard, l'Université impériale chapeaute tout le système éducatif, du primaire au supérieur, en passant par les lycées, créés en 1802. Alors qu'auparavant l'Instruction publique était une direction du ministère de l'Intérieur, l'Université est rendue autonome et placée sous l'auto-

Versailles,
Grand Trianon,
cabinet particulier
de l'Empereur.

*Le Comte
Marchand,
premier valet
de chambre
de Napoléon Iᵉʳ
de 1814 à 1821*
par Jean Baptiste
Mauzaisse
(1784-1844).
H/t 74 × 60,5.
Musée national
des châteaux
de Malmaison
et Bois-Préau.

rité d'un « grand maître », équivalent d'un ministre de l'Éducation nationale, sans en avoir ni le titre ni le rang protocolaire. Le grand maître nomme à toutes les places, fixe les programmes, délivre les autorisations d'enseigner aux établissements privés. Il dispose d'une administration centrale importante. Un conseil de l'Université lui donne des avis avant toute grande décision. Trente inspecteurs généraux ont en charge la surveillance des établissements. L'administration déconcentrée couvre l'ensemble du territoire, au travers de 27 académies. Un recteur dirige chaque académie, comme les préfets dirigent les administrations* de l'État dans les départements.

Le 17 mars 1808, Fontanes, président du Corps législatif, poète sans génie mais catholique pratiquant, ce qui compte dans un milieu où la religion catholique a un poids énorme, est nommé grand maître. TL

◼ Valet

À l'opposé des souverains d'Ancien Régime, Napoléon dans son intimité mène une vie extrêmement simple. Ancien valet de chambre d'Eugène de Beauharnais puis de Joséphine*, Constant est premier valet de chambre de Marengo à l'abdication de Fontainebleau*. Il est chargé des soins de la personne de Napoléon, mêlé aux intrigues amoureuses, disponible, habile et discret.

Largement rémunéré, le « vilain drôle » (selon Napoléon) est un personnage important et qui ne répugne pas à en jouer. Ses Mémoires*, œuvre de « teinturiers », sont divertissants mais suspects : il avait trop à se faire pardonner. Marchand aura le destin inverse. Garçon d'appartement en 1811, il remplace Constant en 1814, suit à l'île d'Elbe* Napoléon qui apprécie son dévouement, son éducation et son instruction. Aux Cent*-Jours, à Waterloo* et jusqu'à la mort à Sainte*-Hélène, il est toujours présent, valet, infirmier, secrétaire, copiste. Exécuteur testamentaire, il épousera la fille du général de la Garde* Brayer, participera au retour des cendres, sera reçu aux Tuileries par Napoléon III qui le confirmera comte. Ses Mémoires sont de tout premier ordre pour Sainte-Hélène, comme ceux du mamelouk* Ali (de son vrai nom Louis-Étienne Saint-Denis), attaché à la personne de l'Empereur en 1811, copiste, bibliothécaire, lui aussi fidèle parmi les fidèles dans les deux îles de l'exil. JJ

◼ VERSAILLES
Si Napoléon m'était conté...

La Révolution*, faute de moyens, n'avait pas détruit Versailles. Napoléon rêve d'y séjourner l'été et d'y établir, symboliquement, sa mère. Seul le Grand Trianon est remeublé et c'est Marie*-Louise, nièce de Louis XVI et de Marie-Antoinette, qui vient y séjourner entre 1810 et 1814. Les appartements ont été restaurés dans leur état Empire. Mais c'est Louis-Philippe qui, dédiant Versailles « à toutes les gloires de la France » en 1837, en fit véritablement un sanctuaire napoléonien. La salle du Sacre regroupe *le Sacre* de David* dans sa version de Bruxelles (due pour l'essentiel à Rouget, son collaborateur principal pour cette œuvre), *La Distribution des aigles* (ill. p. 18-19) qui lui fait pendant et *La Bataille d'Aboukir*, chef-d'œuvre de Gros. La galerie des Batailles, qui

réunit une collection de tableaux d'histoire commandés en majeure partie par le roi-citoyen, permet de suivre les guerres de la Révolution et de l'Empire : *Rivoli* par Philippoteaux, où le profil d'aigle de Bonaparte se détache sur le profil des montagnes, *Hohenlinden* par Schopin, *Austerlitz** par Gérard, dont Rapp est le protagoniste, *Iéna, Friedland**, montrant l'Empereur blessé remontant à cheval, et *Wagram* par Horace Vernet, hommage aux grognards*. De nombreux bustes de maréchaux* et de généraux rythment l'espace de la galerie. Des salles historiques complémentaires présentent de nombreuses esquisses de Gérard pour une série de portraits dont le plus célèbre est celui de Marie-Louise avec le roi* de Rome. Aucun autre musée napoléonien ne peut rivaliser avec Versailles du point de vue de la richesse iconographique pour cette période de l'Empire. AG

Portrait de Marie Walewska par François Gérard, 1811.
H/t 32 × 24.
Musée national du château de Versailles.

Vue panoramique de la bataille de Wagram, le 5 juillet à 8 h du matin par Pasquieri (d'après Giuseppe Pietro Bagetti), 1833. Aquarelle 57 × 95.
Musée national du château de Versailles.

Wagram

La campagne commencée depuis avril 1809, Vienne est occupée le 12 mai ; cependant, dans les combats précédents, l'armée autrichienne n'a pas été sérieusement entamée, elle est au nord du Danube et réunie, l'armée française est au sud. Napoléon ne peut donc éviter une bataille d'envergure et de franchissement. La première tentative a lieu à Essling les 21 et 22 mai. Mais le pont qui passe sur l'île Lobau est détruit par une crue et des objets flottants. 21 000 Français font face à 90 000 ennemis ; renforcés le lendemain, ils ne sont encore que 55 000. Napoléon ordonne le repli dans l'île Lobau. La Grande* Armée a perdu 16 000 hommes. Lannes a été tué. La seconde tentative c'est Wagram, les 4-6 juillet. L'île Lobau est devenue une forteresse, l'archiduc Charles a pris position en arrière sur les hauteurs. Le 4 au soir, le passage commence, le 5 au soir 200 000 Français sont rassemblés, le 6 l'archiduc passe à l'offensive. La droite française (Davout) résiste bien et contre-attaque par un mouvement enveloppant ; la gauche autrichienne est culbutée. La droite autrichienne étant également passée à l'attaque et refoulant les Français sur le Danube, Napoléon ordonne à Masséna (au centre) de se porter à leur secours par une brillante et périlleuse marche de flanc, et à Macdonald de prendre sa place et d'attaquer au centre après une lourde préparation de la « grande batterie » (100 canons sous Lauriston). Mais la trop grande masse des 26 bataillons de la « colonne Macdonald » est fusillée sans pouvoir répliquer et Napoléon doit engager ses réserves pour couper en deux l'armée ennemie. Aux ailes, Masséna, Davout et Oudinot refoulent leurs adversaires. À 20 heures, la victoire est acquise, mais la cavalerie* exténuée ne peut poursuivre et l'archiduc peut retraiter. JJ

Walewska (Marie)

Le musée de l'Armée, aux Invalides*, recèle dans la galerie des maréchaux d'Ornano (accessible sur demande) le portrait en pied de Marie Walewska (1786-1817) par François Gérard : chef-d'œuvre d'élé-

gance et de sensibilité, le tableau traduit aussi l'intelligence de celle que la postérité surnommera « l'épouse polonaise de Napoléon ». En 1807, cette jeune femme patriote, mariée à un barbon descendant d'une des plus antiques familles de Pologne, va saluer l'arrivée de Napoléon marchant vers Varsovie, au relais de poste de Blonie. Pour la Pologne, il est le libérateur. Le coup de foudre politique et romanesque du relais de Blonie aura pour conséquences une série de retrouvailles, à Varsovie, à Paris, en Autriche. Napoléon comprend de mieux en mieux la Pologne et songe à y faire régner Poniatowski. Alexandre Walewski naît à Walewice en 1810. Il sera ministre sous le second Empire et nouera une liaison avec la célèbre tragédienne Rachel. Fidèle, Marie se trouve à Fontainebleau* aux heures noires de l'abdication, et fait le voyage de l'île d'Elbe*. Elle revoit Napoléon après Waterloo*, à Malmaison*. Veuve en 1815, elle se remarie en 1816 avec Philippe Antoine d'Ornano, comte de l'Empire et futur maréchal (1861), qui était Bonaparte par sa mère. Napoléon dans son testament de 1821 n'oubliera pas Alexandre Walewski, pas plus que le jeune Léon, fils que lui avait donné Éléonore Denuelle et qui fera une carrière mondaine sous Napoléon III sous le nom de « comte Léon ». AG

■ **Waterloo**

La bataille de Waterloo pouvait-elle être gagnée ? Napoléon l'a refaite cent fois en esprit, comme tous les historiens militaires français du XIXe siècle. Dans la campagne de Belgique

en 1815, Napoléon, avec 125 000 hommes, a presque moitié moins de troupes que les coalisés. Le 16 juin, il a repoussé les Prussiens à Ligny sans les détruire et a distrait 30 000 hommes à leur poursuite. Le 18 juin, il attaque Wellington et ses Anglo-Hollandais (70 000 hommes) installés dans une position défensive. La bataille elle-même, sans grande invention, est une succession de fautes et de malchances : commencement à midi (trop tard) à cause des chemins détrempés ; attaque du prince Jérôme au centre, ratée ; attaque principale de Ney* à droite, mal déployée avec une artillerie* inefficace à cause du terrain, elle échoue ; nouvelle attaque au centre par la cavalerie* de Ney, repoussée ; redoublement de l'attaque par le même, sans succès car sans infanterie d'appui. On est à la fin de l'après-midi, les Prussiens débouchent, corps après corps, sur le champ de bataille. Quelques bataillons de la Garde* (avec Cambronne) se forment en carré pour le combat du désespoir. L'armée est en déroute, poursuivie par Blücher. Et Grouchy ? Chargé depuis deux jours de contenir les Prussiens, il a refusé à ses divisionnaires de marcher au canon mais il avait des ordres contraires. L'eût-il fait qu'il libérait d'un coup les 90 000 Prussiens et leur présentait le flanc. Bataille impossible : Wellington s'est laissé accabler sur place sans manœuvrer ni céder, et Blücher était de trop. Mieux inspiré, ou plus chanceux, Napoléon, de toute façon, aurait perdu la rencontre suivante ou une autre, tôt ou tard. JJ

La Bataille de Waterloo, le 18 juin 1815 par Clément Andrieux, 1852. H/t 110 × 193. Musée national du château de Versailles.

1769 Naissance de Napoléon Bonaparte à Ajaccio (15 août).

1778-1785 Études de Bonaparte sur le continent. Il sort de l'école militaire de Paris avec le grade de lieutenant en second.

1789-1795 Napoléon hésite entre la Corse et la France pour la poursuite de sa carrière. Chassés de Corse par les partisans de Pascal Paoli, les Bonaparte choisissent définitivement de servir la France. Napoléon, qui s'affiche avec des jacobins notoires, participe à la prise de Toulon, livrée aux Anglais par les contre-révolutionnaires. Il est nommé général de brigade (22 décembre). Il échappe aux purges qui suivent la chute de Robespierre. Sa carrière est lancée.

1796-1797 Campagne d'Italie.

1798-1799 Campagne d'Égypte.

1799 Coup d'État des 18 et 19 brumaire. Création d'un Consulat provisoire avec Bonaparte, Sieyès et Ducos. Fin décembre, adoption d'une nouvelle constitution consulaire avec Bonaparte (Premier consul), Cambacérès et Lebrun.

1800 Création de la Banque de France. Premières lois sur l'organisation administrative de la France, la justice et les tribunaux, etc. À l'extérieur, victoires de Marengo (14 juin) et de Hohenlinden par Moreau (3 décembre) contre l'Autriche.

1801 Paix de Lunéville avec l'Autriche et de Paris avec la Russie. Signature du Concordat.

1802 Signature de la paix d'Amiens avec l'Angleterre (25 mars) et de la paix avec l'Empire ottoman (25 juin). Bonaparte est nommé Consul à vie. Lois et décrets sur l'instruction publique, la Légion d'honneur, les chambres de commerce et le rétablissement de l'esclavage dans les colonies. Amnistie des émigrés.

1803 Textes sur l'organisation du notariat, de l'état civil, la protection des marques, le délit de coalition, le franc dit « germinal »,

le livret ouvrier. Rupture de la paix d'Amiens (mai). Préparatifs de l'invasion de l'Angleterre.

1804 Échec de la « grande conspiration ». Arrestation et exécution des meneurs. Exil de Moreau. Le duc d'Enghien est fusillé. Proclamation de l'Empire (18 mai). Plébiscite sur l'hérédité (juillet). Sacre (2 décembre). Création du maréchalat, des préséances et de l'étiquette de la cour. Code civil.

1805 Napoléon est couronné roi d'Italie, à Milan (26 mai). La Russie, l'Autriche et Naples rejoignent l'Angleterre dans la lutte contre la France. Campagne de 1805 : occupation de Vienne et victoire d'Austerlitz (2 décembre). Désastre naval de Trafalgar (21 octobre). Traité de paix avec l'Autriche (26 décembre).

1806 Rétablissement du calendrier grégorien. Création des conseils de prud'hommes, de grands fiefs héréditaires. Code de procédure civile. Occupation de Naples, dont Joseph Bonaparte est proclamé roi. La famille Bonaparte commence à s'installer sur les trônes et les principautés d'Europe. Alliance de la Prusse et de la Russie. Campagne d'Allemagne : l'armée prussienne est détruite. Décret de Berlin qui institue le Blocus continental (21 novembre).

1807 Campagne de Pologne qui s'achève par la boucherie d'Eylau (8 février). La guerre reprend au printemps. Victoire de Friedland (14 juin). Entrevue de Tilsit entre Napoléon et le tsar Alexandre Ier. La paix est faite. Statut favorable aux juifs. Code de commerce.

1808 Intervention armée au Portugal. « Entrevue » de Bayonne : Napoléon force la famille royale espagnole à céder son trône à Joseph. Insurrection générale en Espagne et intervention anglaise. Joseph doit fuir Madrid. L'Espagne est reconquise par Napoléon, mais la plaie ne se refermera jamais. Préparatifs de guerre de l'Autriche. Code d'instruction criminelle. Création de l'Université impériale et de la noblesse d'Empire.

1809 Campagne d'Autriche. Nouvelle occupation de Vienne. Victoire de Wagram (5-6 juillet). Traité de paix en octobre. Réunion des États de l'Église à l'Empire. Excommunication de Napoléon. Arrestation du pape. Divorce de Napoléon et de Joséphine.

1810 Napoléon épouse l'archiduchesse Marie-Louise (1-2 avril). Rétablissement des prisons d'État. Statuts de l'École normale supérieure. Code pénal. Annexion de Rome, des régions côtières allemandes, du Valais et de la Hollande. L'Empire français compte 130 départements.

1811 Naissance du roi de Rome (20 mars). Organisation du corps des sapeurs-pompiers de Paris. Dégradation des relations francorusses.

1812 Alliances avec la Prusse et l'Autriche contre la Russie. Invasion de la Russie (24 juin). Bataille de la Moskova (7 septembre). Prise de Moscou (14 septembre). Entrée en scène de l'hiver russe et catastrophe de la retraite de Russie. Affaire Malet, sorte de coup d'État qui déstabilise Paris pendant une journée. Le bruit ayant circulé que Napoléon était mort à Moscou, nul n'a songé à placer le petit roi de Rome sur le trône de son père.

1813 Campagne d'Allemagne. L'Autriche et la Prusse se rangent aux côtés de l'Angleterre, de la Suède et de la Russie. Victoires de Napoléon à Lutzen, Bautzen et Dresde. Défaite à Leipzig (16-19 octobre). La France est menacée d'invasion. En Espagne, les Anglo-Espagnols se rapprochent des Pyrénées.

1814 Campagne de France. Napoléon tient tête aux forces coalisées mais plie finalement sous le nombre. Paris tombe le 30 mars. Le Sénat vote la déchéance de Napoléon, réfugié à Fontainebleau. L'Empereur abdique (6 avril). On lui offre la souveraineté de l'île d'Elbe. Il quitte la France sous les insultes des populations du Midi. Louis XVIII monte sur le trône. Entrée en vigueur du Code rural.

1815 Retour de Napoléon à Paris pour 94 jours (20 mars-22 juin). L'Europe ne veut plus de lui et ses armées marchent sur la France. L'Empereur prend les devants et attaque en Belgique. Il est vaincu à Waterloo (18 juin), abdique à nouveau et est exilé à Sainte-Hélène, île anglaise du milieu de l'Atlantique Sud. Retour des Bourbons qui régneront sur la France jusqu'en 1830.

1821 Mort de Napoléon (5 mai).

1840 Retour des cendres (décembre).

BIBLIOGRAPHIE SÉLECTIVE

Maurice Descotes, *La Légende de Napoléon et les écrivains français du XIXᵉ siècle*, Minard, 1967.
Napoléon et la littérature, numéro spécial d'*Europe*, avril-mai 1969.
Jean Tulard, *Le Mythe de Napoléon*, Armand Colin, 1971.
Louis Bergeron, *L'Épisode napoléonien.*
Aspects intérieurs, Le Seuil, 1972.
Jacques Lovie et André Palluel-Guillard, *L'Épisode napoléonien. Aspects extérieurs*, Le Seuil, 1972.
De David à Delacroix. La Peinture française de 1774 à 1830, catalogue de l'exposition du Grand Palais, RMN, 1974.
Jacques Jourquin, *Dictionnaire des maréchaux du Premier Empire*, Tallandier, 1986.

Jean-Paul Bertaud, *Le Consulat et l'Empire*, Armand Colin, 1989.
Jean Tulard, *Dictionnaire Napoléon*, Fayard, 1989.
Jean-Pierre Jessenne, *Histoire de la France.*
Révolution et Empire, 1783-1815, Hachette, 1993.
Madeleine Deschamps, *Empire*, Abbeville, 1994.
Alfred Fierro, André Palluel-Guillard et Jean Tulard, *Histoire et dictionnaire du Consulat et de l'Empire*, Laffont, 1995.
André Chastel, *L'Art français. Le Temps de l'éloquence, 1775-1825*, Flammarion, 1996.
Thierry Lentz, *Le 18 Brumaire. Les Coups d'État de Napoléon Bonaparte*, J. Picollee, 1997.
Sylvain Laveissière, *Prud'hon ou le rêve du bonheur*, catalogue de l'exposition du Grand Palais, RMN, 1997.

Crédits photographiques : AIX-EN-PROVENCE, musée Granet/Bernard Terlay 93 ; ANGOULÊME, musée des Beaux-Arts 97b ; GENÈVE, musée d'Art et d'Histoire 104 ; LONDRES, Fritz von der Schulenburg 34, 62-63 ; Victoria and Albert Museum 53 ; MADRID, Museo del Prado 59 ; PARIS, Bibliothèque nationale de France 89 ; Dagli Orti 10, 14, 15, 51, 81, 83, 98 ; École nationale supérieure des beaux-arts 52 ; Flammarion 25, 28h, 29, 36, 42h, 70, 94, 107 ; musée des Arts décoratifs 31h, 105 ; musée national de la Légion d'honneur 49 ; Photothèque du musée de l'Armée 23, 106hd ; Photothèque des musées de la Ville de Paris 72-73 ; Réunion des musées nationaux 4-5, 11, 12, 16-17, 18-19, 22, 24, 26-27, 30-31b, 33, 41, 42-43b, 44, 45, 46, 47, 48, 50, 54, 55, 58, 60, 61, 64-65, 66, 67, 68, 69, 71h, 75, 77, 78-79b, 80, 84, 85, 86, 87, 88, 92, 95, 97h, 99, 100-101, 106hg, 108, 110, 111, 112, 113, 114-115 ; Caroline Rose 21, 90-91 ; RUEIL-MALMAISON, Bernard Chevallier 56-57, 102-103 ; WASHINGTON, National Gallery 39.

Directeur de la série Histoire : Stéphane GUÉGAN
Coordination éditoriale : Béatrice PETIT
Lecture-corrections : Christine EHM
Direction artistique : Frédéric CÉLESTIN
Photogravure, Flashage : Pollina s.a., Luçon
Papier : BVS-Plus brillant 135 g distribué par Axe Papier, Champigny-sur-Marne
Achevé d'imprimer et broché en février 1998 par Pollina s.a., Luçon

100 %
chlorfrei
chlorine free
sans chlore
exento de cloro
senza cloro

Édition exclusivement réservée aux adhérents du Club
Le Grand Livre du Mois
15, rue des Sablons
75116 Paris

© 1998 Flammarion, Paris
ISBN : 2-7028-1813-7
N° d'impression : 73870-A
Dépôt légal : mars 1998

Imprimé en France

Pages 4-5 : Ernest Meissonier, *La Campagne de France* (détail), 1860-1864.
Paris, musée d'Orsay.
Page 6 : Louis Albert Guillain Bacler d'Albe, *Le Général Bonaparte à Milan, chef de l'armée d'Italie* (détail).
Musée national des châteaux de Malmaison et Bois-Préau.